Frutas que curam

Dados Internacionais de Catalogação na Publicação (CIP)
(Câmara Brasileira do Livro, SP, Brasil)

Gonsalves, Paulo Eiró
Frutas que curam / Paulo Eiró Gonsalves — São Paulo : MG Editores, 2002.

Bibliografia
ISBN 85-7255-028-3

1. Doenças - Causas 2. Frutas 3. Medicina preventiva 4. Nutrição - Necessidades I. Título.

01-5602 CDD-613.2

Índice para catálogo sistemático:

1. Frutas e prevenção de doenças 613.2

Frutas que curam

Paulo Eiró Gonsalves

Capa: **BVDA – Brasil Verde**
Editoração e fotolitos: **JOIN Bureau de Editoração**

MG Editores
Rua Itapicuru, 613 cj. 72
05006-000 São Paulo SP
Fone (11) 3872-3322
Fax (11) 3872-7476
e-mail: mg@mgeditores.com.br

Atendimento ao consumidor:
Summus Editorial
Fone (11) 3865-9890

Vendas por atacado:
Fone (11) 3873-8638
Fax (11) 3873-7085
vendas@summus.com.br

Impresso no Brasil

Impresso na Book RJ Gráfica e Editora

SUMÁRIO

INTRODUÇÃO

As virtudes das frutas são conhecidas há muito tempo e elas têm sido empregadas no tratamento dos mais diversos males ao longo da história da humanidade.

Nesta obra, o que se buscou foi apresentar as propriedades terapêuticas específicas de cada fruta, bem como o modo correto de sua utilização nos problemas de saúde.

As descrições das moléstias, embora sucintas, poderão ser de grande valia para o leitor, por serem rigorosamente exatas.

O livro consta de quatro partes.

Na Parte I, as doenças ou os distúrbios podem ser localizados seguidos da respectiva relação de frutas com ação benéfica.

A Parte II apresenta outras formas de uso das frutas que trazem benefícios ao corpo humano, algumas até mesmo curiosas e inspiradas em crenças populares.

Na Parte III, o leitor encontrará as frutas brasileiras, em ordem alfabética, seguidas das doenças ou dos órgãos sobre os quais atuam.

Por fim, a Parte IV é um instrumento a mais para ajudar o leitor a encontrar o que procura.

Tudo isso faz desta obra um manual extremamente prático para se ter à mão, permitindo intervenções rápidas e seguras diante de mal-estares súbitos ou crônicos.

PARTE I

DOENÇAS OU DISTÚRBIOS

Procure aqui, pelo nome da doença ou do distúrbio, em ordem alfabética

ABSCESSOS E FURÚNCULOS
(Ver também Feridas e Úlceras)

Abscessos ou apostemas são acúmulos de pus alojados em cavidades formadas em meio a tecidos orgânicos ou mesmo em órgãos cavitários, em conseqüência de processo inflamatório.

Furúnculos são processos infecciosos produzidos por penetração de bactérias patogênicas (isto é, que causam doenças) no interior dos orifícios pilosos, o que produz freqüentemente infecção do tecido ao redor, com formação de pus.

Os furúnculos podem disseminar-se numa mesma pessoa de maneira intensa, dependendo do estado de saúde do indivíduo: às vezes pessoas enfraquecidas podem apresentar surtos rebeldes de furunculose, os quais podem ocorrer também em diabéticos.

O contágio interpessoas depende mais do estado geral do indivíduo.

azeitona – O endro fervido em azeite de oliva (ou seja: azeite de azeitona) e aplicado quente no local é bastante eficaz na cura de furúnculos.

fruta-pão – Fatias quentes desta fruta, aplicadas sobre abscessos e furúnculos, têm boa ação resolutiva.

tomate – Este fruto, cortado e aplicado sobre furúnculos e abscessos, costuma produzir rápidos resultados.

ACIDENTE VASCULAR CEREBRAL

O acidente vascular cerebral (AVC), mais conhecido pelo leigo como derrame cerebral, constitui um distúrbio circulatório agudo do cérebro, provocado por um infarto ou trombose dos vasos que fazem a irrigação sanguínea do órgão. Em virtude desse distúrbio ocorre a necrose, hemorrágica ou não, da parte do cérebro irrigada pelos vasos atingidos.

Os sintomas do AVC estão na dependência da área atingida no cérebro: paralisias dos membros superiores e/ou inferiores, distúrbios da fala, da memória, da personalidade, da sensibilidade etc.

Pesquisadores do Planejamento de Saúde Comunitária da Universidade de Harvard, em Boston (EUA), acompanhando a saúde de 832 homens, chegaram à conclusão de que existe uma associação inversa entre o consumo de *frutas e verduras* e o risco de derrames cerebrais. Estes alimentos têm influência direta na redução da incidência de derrames, independentemente do modo de vida das pessoas.

Uma xícara e meia de verduras e frutas por dia reduz em 22% as possibilidades de um acidente vascular cerebral.

ÁCIDO ÚRICO, Redutores do

(Ver também Gota)

Ácido úrico é uma substância encontrada normalmente no corpo humano; faz parte do metabolismo normal do organismo.

Algumas afecções, como gota, insuficiência renal, tumores, leucemias, psoríase etc. podem provocar seu aumento, ao passo que determinadas situações (ingestão de aspirina e de vitamina C em altas doses, administração de contrastes radiológicos etc.) podem levar à sua diminuição no organismo.

O uso constante e prolongado das frutas que seguem ajuda a combater o excesso de ácido úrico:

abacate

laranja – Entre as inúmeras ações terapêuticas desta fruta é citada a de favorecer a eliminação de ácido úrico.

morango

noz

tomate – Tomar diariamente 200 a 250 ml de suco de tomates frescos e maduros.

uva

AFECÇÕES DE GARGANTA
(Amídalas. Afonia. Angina. Faringite. Laringite)
(Ver também Rouquidão)

A garganta pode ser acometida por numerosas afecções (amidalites, faringites, anginas, faringoamidalites, tumores etc.) de diversas causas (bacterianas, virais, por associações fusoespiralares etc.).

Os sintomas mais comuns dos males da garganta são: dor local, febre, rouquidão, disfagia (dificuldade para engolir), afonia (perda da voz), indisposição geral.

O aspecto da garganta freqüentemente orienta quanto à causa da doença que a acomete e o respectivo tratamento.

amora – Atua eficazmente contra aftas, estomatites, faringites e amidalites. Para isso espremem-se alguns punhados de amoras não totalmente maduras e mistura-se o suco a um pouco de água. Utiliza-se em bochechos e gargarejos freqüentes.

cajá – O chá feito com as folhas e as flores da cajazeira é útil contra enfermidades da faringe e da laringe.

caju – As cascas cozidas do cajueiro, em gargarejos, são eficazes contra aftas e afecções da garganta.

damasco – As folhas do damasqueiro, em decocção, são úteis no combate às afecções da garganta, sob a forma de gargarejos.

figo – O decocto desta fruta, em gargarejos, é útil no combate a irritações da garganta.

framboesa – As folhas da framboeseira, em decocção (15 g para meio litro de água), são muito eficazes no combate a inflamações da boca e da garganta (em bochechos ou gargarejos).

limão – Em casos de estomatites e de dores de garganta recomendam-se gargarejos ou bochechos com suco de limão a 50% (metade suco e metade água morna).

marmelo – Contra infecções da boca e da garganta recomenda-se cozer marmelo com água, coar, diluir o filtrado em um pouco de água e utilizá-lo em bochechos ou gargarejos.

romã – Para inflamações da boca, das gengivas e da garganta indicam-se bochechos e gargarejos, várias vezes ao dia, com infusão preparada com meio litro de água fervente e 25 g de flores de romãzeira.

tâmara – Posta de molho, esta fruta produz macerado de grande eficácia nas inflamações da garganta.
Podem-se também ferver cinco ou seis tâmaras por dez minutos em 300 ml de água e usar em gargarejos.

tomate – O suco de tomate, sob a forma de gargarejos, dá bons resultados em inflamações de garganta.

ANEMIAS

Anemia não é uma doença: é uma condição que pode advir por diversas razões, tais como: alimentação deficiente, hemorragias agudas ou crônicas, parasitoses intestinais, hemólise (destruição excessiva de glóbulos vermelhos do sangue), infecções etc.

As anemias mais comuns entre nós são as ferroprivas (por deficiência de ferro) e é nelas que as frutas a seguir relacionadas costumam ser úteis.

acerola – Rica em ferro e vitamina C.

caqui

damasco – Rico em ferro.

jenipapo – Rico em ferro.

maçã

morango – As raízes do morangueiro em decocção por sete minutos são utilizadas no combate à anemia: tomar duas ou três xícaras ao dia. Os frutos frescos também possuem propriedades antianêmicas, provavelmente devido ao alto teor de ferro que apresentam.

APARELHO URINÁRIO, Distúrbios do
(Ver também Cálculos; Cistite; Diuréticos)

O aparelho urinário compreende os órgãos destinados à secreção e à emissão da urina: duas glândulas, os rins, nas quais se efetua a secreção da urina; seus condutos excretores: cálices, bacinete e ureter; um reservatório de urina: a bexiga, que elimina a urina para o exterior por meio de um canal, a uretra, que no homem se abre na extremidade do pênis e na mulher no vestíbulo da vagina.

Os *rins* são duas glândulas (direita e esquerda) colocadas uma de cada lado da coluna vertebral, na parte superior da cavidade abdominal. O peso médio de cada rim é de aproximadamente 170 gramas e o comprimento está em torno de 12 cm.

Os *cálices* são pequenos saquinhos que saem dos rins e confluem entre si para formar a *pelve renal* ou *bacinete*. Este continua, geralmente de um modo imperceptível, ou às vezes por um ligeiro estreitamento, como *uréter*.

O ureter é um conduto longo, com cerca de 29 cm de comprimento, que se segue ao bacinete e se abre na *bexiga*. Esta é um saco musculomembranoso que recebe a desembocadura dos ureteres (um de cada rim) e se comunica com o exterior por meio da *uretra*.

A uretra, porção terminal do aparelho urinário, no sexo feminino é um conduto curto, com cerca de apenas 3 cm de comprimento, que se inicia na bexiga e se abre no vestíbulo da vagina. No sexo masculino é um canal longo, que se inicia na bexiga e se abre para o exterior na extremidade da glande. No homem a uretra é um órgão comum aos aparelhos urinário e genital.

A urina é formada por meio de filtragem do plasma sanguíneo nos glomérulos renais, formações com aspecto de novelo, existentes no interior dos rins. Esse filtrado é depois quase totalmente reabsorvido pelos túbulos renais, pequenos tubos microscópicos que se seguem aos glomérulos.

Como vimos a urina é formada nos rins, e as demais partes do trato urinário são simples vias de condução e depósito da urina.

A quantidade de urina eliminada diariamente por um indivíduo adulto é de 1.000 a 1.500 ml nas 24 horas, quantidade essa bastante variável, principalmente em função da quantidade de líquido eliminado por outras vias (pele, pulmões, intestinos).

Sua densidade é bastante variável, indo essas variações normalmente de 1,015 a 1,025. A reação da urina em geral é ácida, sendo seu pH em torno de 6.

abacaxi – A monodieta, ou seja, dieta constituída exclusivamente por abacaxi, é utilizada como recurso auxiliar no tratamento das infecções urinárias em geral, inclusive uretrites inespecíficas.

aroeira – As folhas, as flores, os frutos e a casca desta planta, sob a forma de chá, têm sido utilizadas contra doenças do aparelho urinário.

azeitona – Desta fruta é extraído o famoso óleo de oliva (azeite de oliva), que atua contra inflamações dos rins e da bexiga.

bacupari – Os frutos do bacupari-miúdo, doce e comestível, bem como as folhas e as cascas cozidas da planta, são recomendados para tratamento das afecções urinárias em geral.

figo-da-índia – Esta planta, em decocção, tem efeito diurético e sedativo sobre infecções do aparelho urinário (cistites, uretrites, pielites).

fruta-pão – As sementes, torradas ou cozidas, são tônicos renais.

grapefruit – Seu consumo é considerado útil no tratamento das moléstias das vias urinárias.

melão – Fruta utilizada contra doenças do aparelho urinário, particularmente cálculos renais e males da bexiga.

morango – Contra infecções urinárias utiliza-se chá preparado com as raízes do morangueiro: decocção de 20 g dessas raízes em meio litro de água, deixando-se ferver por dez minutos. Tomar três xícaras ao dia, com um pouco de suco de limão.

pêra – As folhas da pereira, em infusão, são consideradas eficazes no combate às infecções urinárias e aos cálculos renais; preparar infusão com 40 g das folhas em 400 ml de água, deixando repousar por 25 minutos. Tomar três xicrinhas ao dia.

APETITE, Estimulantes do
(Aperientes, Orexígenos)

Vários são os fatores que podem determinar alterações do apetite, para mais ou para menos.

Entre as causas que determinam sua diminuição, são freqüentes, principalmente em crianças, as de natureza psicológica: a criança que recusa os alimentos na hora das refeições torna-se alvo de todas as atenções dos familiares, que passam a "fazer de tudo" para que ela venha a comer: aviõezinhos, cirquinhos, brincadeiras de todo o tipo etc., o que na realidade só vem a piorar o problema, uma vez que a criança passará a exigir cada vez mais atenção para que se digne a comer.

Muitas doenças orgânicas, principalmente as de natureza infecciosa, também podem causar diminuição do apetite.

cidra – O suco desta fruta, tomado pela manhã em jejum, combate a inapetência.

coentro – Para estimular o apetite recomenda-se fazer infusão com 15 g dos frutos desta planta em meio litro de água, deixando repousar por meia hora. Tomar duas ou três xicrinhas ao dia (eficaz principalmente em casos de anorexia de origem nervosa).

faia – Os frutos desta árvore florestal são estimulantes do apetite.

grapefruit

kiwi

laranja

maçã

mamão – A sua monodieta (dieta exclusiva com esta fruta) é utilizada para estimular o apetite.

mexerica

pêssego

sapoti – Só as sementes, amassadas e dissolvidas, são estimulantes do apetite.

uva

zimbro – Seus frutos (as "bagas de zimbro") estimulam o apetite.

APETITE, Redutores do

O apetite pode estar exageradamente aumentado em várias situações, quer de causa psicológica quer orgânica (diabetes, por exemplo), sendo muitas vezes necessário promover sua diminuição.

guaraná – As sementes desta fruta têm ação redutora do apetite.

ARTERIOSCLEROSE; ATEROSCLEROSE

Arteriosclerose é a esclerose ou o endurecimento das artérias.

Aterosclerose é a formação de ateromas nas artérias. Estes constituem degeneração da camada íntima das artérias de maior calibre, apresentam-se como placas brancas ou amareladas, às vezes calcificadas.

azeitona – As folhas de oliveira, em infusão (5 g em 100 ml de água, deixando repousar por 25 minutos), combatem a arteriosclerose. Tomar duas ou três xicrinhas ao dia.

guaraná – As sementes são consideradas preventivas da aterosclerose.

kiwi – Chamada pelos italianos *planta della salute*, esta fruta tem ação no combate à aterosclerose.

limão – O amplo consumo de limão maduro é considerado útil no combate à aterosclerose.

maçã – Esta fruta, consumida de modo constante, contribui para a melhora da arteriosclerose.

melão – É considerado fruta preventiva da arteriosclerose e ativadora da circulação sanguínea.

mexerica

ARTRITE; ARTRITISMO
(Ver Reumatismo)

ASMA
(Ver também Bronquite; Expectorantes; Gripe; Rouquidão; Tosse)

Asma brônquica é afecção de natureza alérgica que causa dificuldade respiratória com chiado (sibilos) na fase expiratória da respiração, fase essa que na asma costuma ser mais prolongada do que habitualmente e durante a qual o paciente sente maior dificuldade para respirar.

Pode ocorrer devido à alergia a substâncias de diversas naturezas, tais como pó, poeira, lã, pêlos, penas, pólen, fumaça, mofo, gases irritantes, alimentos, medicamentos, perfumes, aditivos, agentes infecciosos etc.

Freqüentemente as crises de asma são desencadeadas por fatores psicológicos, emocionais.

A asma não é hereditária: o que a pessoa herda é a predisposição alérgica, o que significa que os filhos de alérgicos são mais sujeitos a manifestações de alergia, mas não obrigatoriamente da mesma espécie que a de seus ancestrais.

Assim, um filho de pessoas que padecem de eczema pode vir a sofrer de asma, enquanto um filho de asmáticos poderá apresentar alergia digestiva, eczema etc.

jenipapo – Fruta dotada de propriedades antiasmáticas.

morango – Para alívio da tosse da asma recomenda-se fazer decocção com a raiz do morangueiro: 30 g em meio litro de água, fervendo por cinco minutos; tomar três xícaras ao dia, com mel.

tucumã – O endocárpio desta fruta, encontrada em toda a Amazônia, torrado e pilado é usado pela população local, em decocção, no tratamento da asma.

BICHO-DE-PÉ
(Tunga; Sarcopsilose)

É um parasita da família das pulgas que penetra nos pés de pessoas que andam descalças em chiqueiros, cabanas, ranchos e que produz localmente um prurido considerado até desagradável.

Com a evolução da parasitose forma-se a “batata”, que consiste no abdome do parasita abarrotado de ovos, com um ponto negro central, que costuma ser retirada com agulha queimada.

abricó-do-pará – Desta planta exsuda resina inseticida, utilizada no tratamento do bicho-de-pé.

BOCA, Doenças da

O termo *estomatite* designa qualquer inflamação da mucosa bucal.

Entre as várias doenças que podem acometer a boca destacam-se o sapinho (monilíase oral ou candidíase oral, produzida por fungo); aftas (que podem ser de origem infecciosa, alérgica ou carencial), herpes labial (produzido por vírus), boqueiras (queilites e queiloses), glossites (inflamações da língua), gengivites, piorréia (secreção de pus pelas gengivas), cáries dentárias, tártaros etc.

ameixa-amarela – Contra inflamações da boca (estomatites) recomendam-se bochechos e/ou gargarejos freqüentes com folhas frescas da ameixeira fervidas em água (decocção).

amora – As amoras não totalmente maduras, quando espremidas, produzem suco que, misturado com água, é utilizado em bochechos e gargarejos contra aftas e estomatites em geral.

azeitona – Em casos de úlceras das gengivas recomendam-se bochechos com folhas de oliveira em decocção (10 g das folhas em 100 ml de água, deixando ferver por 12 minutos).

caju – As cascas do cajueiro, cozidas e utilizadas em bochechos e gargarejos, combatem aftas e afecções da garganta.

cambuí-verdadeiro – Esta fruta é empregada na remoção do tártaro dentário e também em casos de piorréia, aftas, estomatites em geral e úlceras da boca, graças à sua potente ação anti-séptica.

figo – Figos secos, cozidos com água e utilizados em bochechos, combatem inflamações da boca e das gengivas.

framboesa – As folhas da framboeseira, em decocção (15 g em meio litro de água), são usadas com sucesso em inflamações da boca e da garganta.
Em casos de queilites e queiloses (boqueiras) utilizam-se as folhas e as flores da framboeseira (infusão com 50 g em meio litro de água, repousando por trinta minutos); aplicar localmente.

jabuticaba – As cascas desta fruta e da árvore, em decocção, têm-se mostrado eficazes no combate a afecções agudas e crônicas da boca e da garganta: usar em bochechos e gargarejos.

limão – É eficaz em casos de estomatites: diluir o suco de um limão em água morna (na proporção de 50%) e fazer bochechos e gargarejos várias vezes ao dia.

maçã – A ingestão de vinagre de maçã é útil no tratamento de doenças dos dentes e das gengivas.

manga – Contra afecções da boca e das gengivas recomendam-se bochechos com o decocto das folhas da mangueira.

marmelo – No combate a inflamações da boca e da garganta deve-se cozer o marmelo com água, coar, diluir o filtrado com mais um pouco de água e utilizá-lo em bochechos e gargarejos.

morango – Em casos de estomatites acompanhadas de úlceras na boca são recomendados bochechos várias vezes ao dia com infusão de 10 g de raízes de morangueiro em 100 ml de água (deixando repousar por meia hora).

noz – Em casos de aftas, estomatites em geral e dores de garganta, recomenda-se ferver 10 g de folhas de nogueira, frescas ou secas, em 300 ml de água, com 6 g de ácido bórico em pó; quando estiver morno, fazer bochechos ou gargarejos várias vezes ao dia.
Outra receita: ferver 20 g de cascas de nozes reduzidas a pó em 100 ml de água e usar em bochechos várias vezes ao dia. É muito eficaz, inclusive em casos de piorréia.

romã – Contra inflamações da boca, gengivas e garganta recomendam-se bochechos ou gargarejos várias vezes ao dia com infusão preparada com 25 g de flores de romãzeira ou de cascas da fruta.

BRONQUITE

(Ver também Asma; Gripe; Tosse; Expectorantes)

Bronquite é uma inflamação dos brônquios. Pode ocorrer na vigência de um estado gripal, como complicação de uma gripe e também como processo primitivo por infecção localizada desde o início na árvore brônquica e sem nenhuma relação com gripes ou resfriados mal curados.

Existem vários tipos de bronquite: as agudas catarrais, causadas por vírus ou bactérias; as provocadas por agentes inalantes irritantes (fumaça, pó, gases etc.); as ocasionadas por certos parasitas intestinais cujas larvas passam pelos pulmões; as bronquites asmáticas etc.

Não é obrigatório que uma pessoa que apresente uma crise de bronquite venha a apresentar novos surtos da doença.

abacate – Chás preparados com as folhas do abacateiro e/ou brotos de abacate são usados contra tosse, bronquite e rouquidão.

abacaxi – Em casos de bronquite, uma boa receita consiste em cozinhar fatias de abacaxi e, quando frias, retirar-lhes o suco que deve ser misturado com mel e guardado num frasco bem tampado. Toma-se às colheradas, ao longo do dia.

abio – Fruta reputada como útil no alívio de afecções do aparelho respiratório, inclusive bronquite.

ameixa

azeitona – As folhas da oliveira são úteis no tratamento das bronquites; deixar em infusão 6 g em 100 ml de água por 18 minutos e tomar duas ou três xicrinhas ao dia, nos intervalos das refeições.

banana – A seiva do caule aparente da bananeira age no combate às bronquites.

caju – Do tronco do cajueiro exsuda resina amarela e dura, eficaz contra males do aparelho respiratório, inclusive bronquites.

caraguatá – Com os frutos desta planta produz-se xarope de largo emprego como expectorante e contra bronquite, asma, coqueluche e tosses em geral.

castanha – As folhas tenras do castanheiro, em infusão, combatem bronquite, coqueluche e tosses em geral.

figo – O figo cozido com leite atua muito eficazmente nas bronquites: ferver em leite, por dez minutos, cinco figos cortados em fatias bem finas e tomar à noite, ao deitar-se.

limão – Tem ação auxiliar no tratamento da bronquite e da asma.

manga – O consumo desta fruta traz benefício em casos de tosses e bronquites.

morango

murici – Terapeuticamente esta fruta e a casca do caule da árvore, sob a forma de chá, são empregadas no tratamento das bronquites e das tosses em geral.

uva – Em casos de bronquite recomenda-se tomar três ou quatro xícaras ao dia de infusão preparada com uva passas: 10 g em 100 ml de água, em repouso por 15 minutos.

CABELOS, Queda dos

A queda anormal dos cabelos pode ser causada por numerosos fatores gerais ou locais, orgânicos ou psicológicos.

Diante de um caso de queda anormal dos cabelos impõe-se investigação cuidadosa para possibilitar tratamento eficaz.

abacate – O óleo obtido desta fruta, friccionado sobre o couro cabeludo, tem ação acentuada contra caspa e queda dos cabelos.

avelã – Desta fruta é extraído óleo utilizado como tônico capilar muito reputado como de grande eficácia contra a queda dos cabelos.

damasco – Sua ingestão fortalece os cabelos.

maçã – O vinagre de maçã, em uso interno ou local, age contra a queda dos cabelos.

tomate – O suco de tomate, friccionado sobre o couro cabeludo, combate a queda dos cabelos.

CÁLCULOS (Pedras, Areias)

A formação de cálculos (pedras) nas vias urinárias, biliares, salivares ou em outros locais do organismo pode ocorrer devido a fatores metabólicos e/ou anatômicos (obstrução dos dutos excretores).

Neste último caso, geralmente há necessidade de tratamento intervencionista, muitas vezes de natureza cirúrgica.

Nos primeiros casos várias frutas podem ser de valia.

abacate – A sua monodieta (alimentar-se exclusivamente com esta fruta) por dois ou três dias é útil no combate aos cálculos da vesícula biliar.

abacaxi – A monodieta com esta fruta, feita em intervalos regulares (geralmente cada semana), é útil tanto para a fase aguda da calculose renal quanto para prevenir a formação de novos cálculos.

azeitona – O azeite de oliva (azeitona) atua contra pedras na vesícula biliar. Recomenda-se tomar cerca de 50 ml diariamente, de preferência em jejum (usar o azeite prensado a frio: virgem ou extravirgem).

cereja – O chá por decocção dos pedúnculos (cabinhos) dos frutos (5 g em 200 ml de água) é útil principalmente contra cálculos de ácido úrico. Tomar três xícaras ao dia.

figo

limão – É útil no combate à calculose renal e biliar. Recomenda-se tomar o suco de dois limões por dia, diluído em água, por vinte dias.

maçã – A famosa bebida sidra, feita de maçã, é considerada muito eficaz contra cálculos renais.

mamão – Esta fruta, particularmente sob a forma de monodieta, é utilizada no combate a cálculos da vesícula biliar.

melão – É fruta considerada de utilidade contra cálculos do aparelho urinário.

mexerica – Tem ação preventiva na calculose renal por oxalato de cálcio.

morango – O seu consumo auxilia na eliminação de cálculos renais.

pêra – As folhas de pereira, em infusão, são consideradas eficazes no combate à calculose renal.

sapoti – As sementes desta fruta, amassadas e dissolvidas, são muito reputadas como solventes de cálculos renais e biliares.

zimbro – Os frutos (as "bagas de zimbro"), amassados em infusão (10 g em meio litro de água, em repouso por 25 minutos), são úteis em casos de calculose, qualquer que seja o órgão atingido.

CALOS

São formações constituídas por endurecimento da pele devido a compressões ou atritos constantes. Freqüentemente causam dores, por vezes acentuadas, e bastante desconforto para seus possuidores.

azeitona – O óleo de oliva (da azeitona), junto com a polpa esmagada de alho, é utilizado com muito sucesso na remoção de calos, mesmo os muito antigos: aplica-se o ungüento assim preparado sobre a área afetada e cobre-se com um pedaço de tecido, repetindo-se a operação, se necessário.

caju – A aplicação local de suco de castanhas de caju frescas é muito eficaz na remoção de calos.

figo – A aplicação local do suco leitoso das folhas e dos ramos da figueira promove a remoção dos calos.

mamão – O leite obtido desta fruta, em aplicação tópica, age eficazmente na remoção de calos.

tomate – Para remoção de calos aconselha-se a aplicação do suco desta fruta, à noite.

CÂNCER
(Ver também Tumores)

Frutas, verduras e legumes são alimentos que, ingeridos regularmente, têm efeito comprovado na prevenção do câncer.

Esta ação é particularmente acentuada na família dos vegetais crucíferos, entre os quais encontramos agrião, brócolos, couve, couve-flor, couve-de-bruxelas, mostarda, rabanete, rábano, raiz-forte, repolho, nabo, mastruço, rúcula. Os vegetais dessa família foram alvo de pesquisas realizadas inicialmente em 1959 e depois repetidas: demonstraram propriedades anticancerígenas desses vegetais atribuídas a várias substâncias como isotiocianatos e indóis aromáticos.

Numerosos outros vegetais, inclusive várias frutas, apresentam em sua composição substâncias não nutrientes, os *fitobioquímicos*, compostos que ajudam a prevenir doenças como o infarto e o câncer. Tais substâncias atuam como "varredores" de produtos envolvidos no processo de desenvolvimento do câncer, segundo o nutricionista e engenheiro bioorgânico Wilson Camargo.

Franco Lajulos, chefe do Departamento de Alimentação e Nutrição Experimental da Faculdade de Ciências Farmacêuticas da USP, afirma haver fortes evidências de que os fitobioquímicos reduzem o risco de doenças degenerativas crônicas.

castanha-do-pará – É o seu alto teor em magnésio que faz esta fruta ser considerada útil na prevenção do câncer.

mamão – Suas sementes são consideradas anticancerígenas.

tâmara – Também rica em magnésio.

tomate – De acordo com estudos desenvolvidos pela Harvard School of Public Health Foundation, bem como trabalho publicado no *Journal of the National Cancer Institute*, dos EUA, o tomate pode ajudar na prevenção de tumores do aparelho digestivo e, principalmente, da próstata.
Tal efeito protetor parece ocorrer graças a uma substância existente neste fruto, o *licopeno*, um tipo de caroteno o qual confere ao tomate sua cor vermelha, bem como funções e poderes antioxidantes.

uva – A monodieta da uva rosa por quinze dias consecutivos constitui tratamento empregado contra o câncer.

CASPA; SEBORRÉIA; CROSTA LÁCTEA DOS BEBÊS

Seborréia é um distúrbio de funcionamento das glândulas sebáceas da pele, caracterizado por secreção anormal dessas glândulas. Tal secreção se acumula na pele sob a forma de oleosidades, crostas ou escamas.

O couro cabeludo é sede muito comum desses acúmulos (as mamães conhecem bem a "crosta láctea" que atinge a cabeça dos bebês).

abacate – O óleo obtido desta fruta, friccionado sobre o couro cabeludo, tem ação acentuada contra caspa e queda dos cabelos.

maçã (vinagre de maçã) – O vinagre de maçã, por via interna ou em aplicações tópicas, é útil no combate à caspa.

CATARRO (Expectorantes)

(Ver também Asma; Bronquite; Gripe; Rouquidão; Tosse)

Expectorantes são substâncias que facilitam a eliminação do catarro para fora das vias respiratórias. Geralmente atuam fluidificando as secreções.

O catarro das vias aéreas provoca freqüentemente tosse encatarrada, produtiva ou úmida, que se acompanha de eliminação de muco das vias aéreas, resultante de processos inflamatórios da traquéia e dos brônquios (traqueítes e bronquites), broncopneumonias, bronquiolites, abscessos. Faz-se referência à tosse encatarrada, com "peito cheio", sem que haja, no entanto, secreção nos brônquios; trata-se apenas de secreção alta, mas como a caixa torácica funciona como "caixa de ressonância" tem-se a impressão de haver secreção nos brônquios.

azeitona – Tanto a azeitona preta quanto a verde têm leve ação expectorante.

caju – Tem ação eficaz contra todos os tipos de catarro.

caraguatá – Com o suco produz-se xarope muito empregado como expectorante e no combate às doenças do aparelho respiratório em geral.

cuité – A polpa das frutas verdes é expectorante.

cutitiribá – É fruta útil no combate ao catarro do aparelho respiratório, facilitando sua eliminação.

figo – Os figos secos devem ser cozidos com água ou leite, para o efeito expectorante e sedativo da tosse.

figo-da-índia – Tem ação expectorante, antiasmática e sedativa da tosse. Para isso se recomenda comer a fruta assada. Podem-se também descascar algumas frutas (usar faca e garfo por causa dos espinhos), cortá-las em rodelas e, numa vasilha, cobri-las com mel, deixando-as repousar por uma noite. No dia seguinte coar e tomar o caldo às colheradas, ao longo do dia.

limão – Age contra o catarro das vias respiratórias.

ora-pro-nóbis – Os frutos do arbusto têm ação expectorante.

CAXUMBA

É moléstia infecciosa causada por vírus. Pode atingir vários órgãos do corpo, principalmente as glândulas salivares e, entre estas, as parótidas.

Casos inaparentes, sem sinais evidentes da doença, são freqüentes, constituindo de 30 a 40% dos casos. Isso explica o fato de que adultos entrem em contato com pessoas acometidas por esta doença sem apresentar a moléstia e afirmem que nunca a tiveram: é porque já a tiveram sob forma inaparente.

É transmitida de pessoa a pessoa, principalmente por meio de gotículas de saliva eliminadas quando o indivíduo fala. O contágio indireto, isto é, por intermédio de uma pessoa sã ou por objetos, é possível, mas muito menos comum. A caxumba confere imunidade definitiva: a pessoa só apresenta esta doença uma única vez.

funcho – Cozinhar os frutos desta planta e aplicá-los quando frios, localmente.

noz – Fazer infusão com folhas de nogueira: 100 ml de água e 6 g das folhas, deixando repousar por meia hora. Usar em compressas locais.

CICATRIZES

Chama-se cicatrização o fenômeno pelo qual se garantem a restauração e o fechamento de uma lesão, de um ferimento, ou de uma perda de tecidos.

A cicatrização é chamada primeira intenção quando os lábios do ferimento se reúnem, espontânea ou cirurgicamente, sem presença de tecidos de granulação. É dita segunda intenção quando houve perda de substância, e a cicatriz se forma a partir de tecido de granulação.

Chama-se cicatrizante a substância ou remédio que favorece a cicatrização.

bacuri – Tem ação cicatrizante.

caju – As folhas novas do cajueiro, previamente submetidas a decocção, são utilizadas como cicatrizantes, em aplicações tópicas.

cambuci – Usada topicamente, é indicada como cicatrizante.

fruta-do-conde – São as folhas da planta que, aplicadas no local, têm ação cicatrizante.

CIRCULAÇÃO SANGUÍNEA, Problemas de

Do ponto de vista didático, podemos dividir a circulação sanguínea em grande e pequena circulação.

Pequena circulação é aquela que se efetua entre o coração e os pulmões. Inicia-se no ventrículo direito, de onde o sangue venoso sai pela artéria pulmonar cujos ramos penetram nos pulmões; nestes órgãos o sangue venoso se arterializa (fenômeno da hematose) e volta para o coração (à aurícula esquerda), por intermédio das quatro veias pulmonares.

A grande circulação inicia-se no ventrículo esquerdo, de onde o sangue sai pela artéria aorta, a fim de ser distribuído a todo o organismo. Depois de ter banhado todo o corpo, volta, agora como sangue venoso, conduzido pelas veias cava superior e inferior, que desembocam na aurícula esquerda, onde lançam seu sangue e onde termina a grande circulação ou circulação geral (a pequena circulação costuma também ser chamada de circulação pulmonar).

Artérias são vasos nos quais o sangue tem direção centrífuga (do centro – coração – para a periferia). Veias são vasos sanguíneos nos quais o sangue tem direção centrípeta (da periferia para o centro – o coração).

Entre as pequenas artérias (arteríolas) e as pequenas veias (vênulas) há vasos de ligação chamados capilares, que têm este nome por possuírem diâmetro semelhante ao de um fio de cabelo.

O sistema vascular linfático constitui anatômica e fisiologicamente um anexo do sistema vascular sanguíneo. É formado por vasos e gânglios linfáticos.

Os vasos sanguíneos formam um sistema inteiramente fechado e o sangue neles contido toma contato com os tecidos mediante um intermediário que é a linfa, a qual leva para as células as substâncias fornecidas pelo sangue e leva ao sangue as escórias celulares.

Três frutas agem como ativadoras da circulação sanguínea:

groselha

melão

pêra

CISTITE

É a inflamação da bexiga

Os pacientes acometidos por cistite costumam apresentar disúria (dor à micção) e polaciúria (emissões muito freqüentes de urina).

Vários germes podem produzir esta afecção, notadamente os Gram-negativos, provenientes dos intestinos, tais como a *Escherichia coli* e o *Proteus*.

anis – A infusão dos frutos desta planta (30 g em 100 ml de água) ajuda a combater a cistite: tomar três xicrinhas ao dia.

figo-da-índia – Chás preparados com esta planta, em decocção, têm efeito diurético e sedativo sobre infecções do aparelho urinário (pielites, cistites, uretrites).

guabiroba – Chás preparados com a casca da árvore, bem como com as folhas, são utilizados em casos de cistites.

limão – Seu consumo ajuda a combater a cistite.

maçã – 150 a 200 ml diários de suco de maçã combatem as cistites.

mangostão

melancia – O chá preparado, por decocção, com as cascas de melancia dá ótimos resultados no tratamento das cistites. As sementes, secas e trituradas, têm ação semelhante.

melão

morango – As folhas picadas do morangueiro, em infusão por 18 minutos (20 g em meio litro de água), combatem as cistites. Tomar três xícaras ao dia, com mel.

tâmara – Recomenda-se ferver 30 g de polpa de tâmaras em água por meia hora, em fogo baixo. Depois de filtrado, beber à vontade.

tomate – O consumo de tomate maduro é considerado eficaz. Tomar 15 ml de suco diariamente.

COLESTEROL

O termo colesterol tem hoje conotação altamente pejorativa, que lhe confere a reputação nada invejável de grande e terrível vilão, intensamente prejudicial ao organismo. Na realidade, entretanto, o colesterol é a principal fonte dos hormônios esteróides da supra-renal, dos testículos, dos ovários e da placenta, além de ser importante constituinte do sistema nervoso e da bile. Trata-se, portanto, de substância absolutamente necessária ao organismo, no qual desempenha papéis da mais alta importância. O próprio organismo forma, no fígado, quase todo o colesterol de que necessita (apenas 30% provêm dos alimentos).

De forma muito simplista e resumida podemos dizer que há um "colesterol bom" (o HDL, que retira as gorduras das artérias e as transporta até o fígado, de onde são eliminadas) e um "colesterol mau" (o LDL, o grande vilão das artérias, que é carregado pelo sangue e depositado nas paredes arteriais).

As frutas a seguir relacionadas ajudam a diminuir o "bandido", o LDL.

abacate – Possui taxas elevadas do mesmo tipo de gordura benéfica do azeite de oliva, sendo indicado para baixar o colesterol sanguíneo.

azeitona – O azeite de oliva (azeitona) extravirgem (prensado a frio e não submetido a processos ulteriores de refinação) e não aquecido (colocado nos alimentos após estes terem ido ao fogo, já prontos) diminui a taxa de colesterol prejudicial (LDL), mas não a do bom colesterol (HDL).
Harry Demopolus, pesquisador de Nova York que estuda antioxidantes, o considera a "única gordura realmente segura".

faia – Os frutos desta árvore, muito apreciados pelo seu sabor, gozam da fama de reduzir o colesterol do sangue.

grapefruit – É fruta considerada eficaz para fazer baixar o nível do colesterol.

maçã – Para baixar o colesterol recomenda-se bater no liquidificador duas maçãs sem casca e tomar o suco no fim da tarde, pelo menos por duas semanas.

mamão – Seu consumo, principalmente sob a forma de monodieta (dieta constituída apenas por mamão), é recomendado para combater o excesso de colesterol.

morango

uva

CÓLICAS

Dá-se o nome de cólica a uma contratura exagerada, a um espasmo da musculatura dos órgãos internos (do aparelho digestivo, urinário, genital etc.), produzindo uma sensação de cãibra desses órgãos.

Vários fatores podem determinar o aparecimento de cólicas: infecções, parasitoses, cálculos renais e vesiculares, intoxicações, menstruação, inflamações.

São bem conhecidas das mamães as cólicas dos recém-nascidos e dos lactentes, as famosas "cólicas do primeiro trimestre", que têm este nome por persistirem habitualmente até essa época da vida da criança.

ameixa – A ameixa salgada (*umeboshi*), alimento muito utilizado pelos japoneses, é de grande valia no combate às cólicas intestinais e gastrites.

anis – Contra cólicas intestinais deixam-se os frutos desta planta em infusão por uma hora (20 g em meio litro de água) e tomam-se três xicrinhas ao dia.

framboesa – As folhas da framboeseira, em decocção (15 g para meio litro de água), são eficazes no combate às cólicas intestinais.

funcho – Contra cólicas do aparelho digestivo recomenda-se deixar os frutos do funcho em infusão por trinta minutos (25 g em meio litro de água) e tomar três xicrinhas ao dia.

granola-do-norte – As flores e os brotos desta planta, em chás, têm ação contra cólicas intestinais.

manga – A casca cozida desta fruta é usada no combate às cólicas em geral.

COLITE

Denomina-se colite o processo de inflamação da mucosa da porção do intestino grosso chamada colo. Pode produzir vários distúrbios como cólicas, diarréia, dificuldade digestiva, dor abdominal, flatulência etc.

mamão, – A monodieta, isto é, dieta exclusiva com esta fruta, constitui tratamento eficaz em casos de colite.

tomate – Contra colite recomenda-se a ingestão de 100 a 150 ml de suco fresco de tomate maduro.

CONSTIPAÇÃO INTESTINAL

(Ver Prisão de Ventre)

CONTUSÕES

São lesões superficiais, sem laceração, produzidas por impacto.

manga – A aplicação de decocto de folhas de mangueira é recomendada para alívio das contusões.

COQUELUCHE
(Tosse Comprida)

A coqueluche ou tosse comprida caracteriza-se por tosse persistente, repetindo-se em crises comparadas a "tosse de cachorro", intercalando-se por vezes com um guincho típico.

Em crianças de baixa idade (menos de um ano) a tosse pode ser acompanhada de outros sintomas como vômitos ou falta de ar, ficando as crianças com a face arroxeada, principalmente ao redor dos lábios.

É doença que pode levar a complicações, tanto mais freqüentes quanto menor a idade da criança.

A criança pequena não tem imunidade natural contra coqueluche, ao contrário do que sucede com o sarampo, a rubéola e outras doenças.

caraguatá – Com o suco desta fruta é produzido xarope muito empregado no combate a tosses em geral, inclusive a da coqueluche.

figo-da-índia – Esta planta tem propriedades antitussígenas, sendo útil inclusive em casos de tosse comprida. Recomenda-se comer a fruta assada no forno. Pode-se também pelar algumas frutas (usar faca e garfo, por causa dos espinhos), cortá-las em rodelas e, numa vasilha, cobri-las com mel, deixando-as repousar por uma noite. No dia seguinte, coar o líquido que se formou e tomá-lo às colheradas ao longo do dia.
Outro bom remédio consiste em fender os artículos (segmentos carnosos da planta) ao meio e cobrir com açúcar ou mel. O suco mucilaginoso que então se escoa deve ser tomado ao longo do dia.

pêssego – Colocar as flores do pessegueiro em infusão (20 g em meio litro de água) deixando repousar por vinte minutos. Tomar duas xícaras ao dia, com mel.

CORAÇÃO, Problemas de
(Aparelho Circulatório)
(Ver também Arteriosclerose; Aterosclerose; Pressão Arterial; Colesterol)

O aparelho circulatório é constituído por um órgão central – o coração –, pelos vasos sanguíneos e linfáticos e pelos gânglios linfáticos.

O coração é um órgão muscular, oco, contrátil que constitui o centro do aparelho circulatório. Está contido no interior de um saco membranoso, o pericárdio. Tem a forma de uma pirâmide triangular, com a base voltada para trás e para a direita, e o ápice para a frente e para a esquerda.

É dividido internamente em quatro compartimentos, dos quais dois são superiores (aurículas ou átrios) e dois inferiores (ventrículos). Cada compartimento superior, ou seja, cada aurícula, comunica-se com o ventrículo do mesmo lado. As aurículas bem como os ventrículos não se comunicam entre si.

Como vimos, o coração está contido no interior de um saco membranoso, o *pericárdio*. A parte muscular do coração, o músculo cardíaco, é o *miocárdio*, sob o qual se encontra uma membrana lisa, esbranquiçada, que o reveste internamente: o *endocárdio*.

Os vasos que irrigam o coração são as artérias coronárias (originárias da porção inicial da aorta), e as veias coronárias recolhem o sangue que banhou o órgão.

O funcionamento do coração é feito por meio de contrações periódicas (*sístoles*), às quais se seguem períodos de relaxamento, de descontração (*diástoles*).

frutas e legumes em geral – O consumo amplo destes alimentos é muito útil para a saúde do coração, contribuindo para evitar problemas cardíacos.

frutas oleaginosas – (nozes, amêndoas, avelãs, castanhas-do-pará, pistaches, macadâmias, pecãs)
Estes alimentos, devido à riqueza em fibras, gorduras monoinsaturadas e diversos antioxidantes (vitamina E, selênio, ácido elágico), são excelentes protetores do coração,

segundo estudos feitos pelo dr. Gary Frase, professor de medicina da Loma Linda University, na Califórnia. Atuam também, energicamente, como redutores do colesterol sanguíneo.

CORRIMENTOS VAGINAIS (Vulvovaginais)
(Ver também Problemas Ginecológicos)

Em duas fases da vida da mulher os corrimentos vaginais costumam ser absolutamente normais:

a) na recém-nascida, devido aos hormônios femininos maternos circulantes no organismo da criança;
b) no início da puberdade, em virtude da grande quantidade dos próprios hormônios da adolescente.

Em outras ocasiões, entretanto, podem ocorrer corrimentos por várias outras causas, como os causados por bactérias, vírus, leveduras, parasitas intestinais migrados para o aparelho genital, corpos estranhos aí introduzidos etc.

framboesa – As folhas da framboeseira, em decocção (15 g para meio litro de água), são úteis no tratamento local dos corrimentos vulvovaginais.

limão – Em casos de infecções ginecológicas (por bactérias, clamídia, cocos, vírus, fungos), recomendam-se banhos genitais da forma a seguir: de manhã, ainda com o calor da cama e após tomar uma xícara de chá bem quente, sentar-se, agasalhada, sobre um grande balde de água fria; nessa água rala-se um limão de modo que as raspas das cascas caiam na água; depois se corta o limão ao meio, espreme-se com as mãos e colocam-se o suco e as cascas no balde. Em seguida molha-se uma toalhinha na água e com ela banha-se a parte genital. Repete-se a operação com a toalhinha molhada por vinte minutos.

O tratamento, que dura três semanas, com pausa durante a menstruação, é recomendado e usado com muito sucesso pelo ginecologista dr. W. E. Loeckle, de Frankfurt, Alemanha.

maçã – Usam-se as cascas do tronco e dos ramos da macieira, em decocção (25 g em meio litro de água deixando ferver por vinte minutos).
Usar em lavagens e aplicações locais.

marmelo – Contra corrimentos vaginais recomenda-se ferver um punhadinho de folhas de marmeleiro em um litro de água, filtrar e empregar o líquido em aplicações locais.

noz – Em casos de vulvovaginites recomendam-se lavagens e aplicações com decocção de folhas de nogueira: ferver por 12 minutos 20 g de folhas em meio litro de água.

DEPRESSÃO

Segundo alguns autores este distúrbio tem causa orgânica. Apóiam-se tais autores na descoberta do papel regulador tímico das monoaminas cerebrais, cuja deficiência, nos deprimidos, poderia ser genética.

De acordo com outros autores, a causa da depressão é psicológica: a pessoa se defrontaria com uma perda real ou imaginária.

Na atualidade tem-se notado acentuado aumento do número de casos desse distúrbio, principalmente entre crianças e adolescentes.

castanha-do-pará – Esta fruta age de modo muito eficaz contra a depressão, provavelmente por causa de sua grande riqueza em selênio.

DERRAME CEREBRAL

(Ver Acidente Vascular Cerebral)

DESIDRATAÇÃO
(Ver também Diarréia; Vômitos)

Desidratação não é uma doença e sim uma conseqüência possível de várias doenças. Qualquer causa que promova saída de água do organismo, maior do que a entrada, pode produzir desidratação.

Assim é, por exemplo, que uma gastroenterite, afecção que produz diarréia e vômitos, pode levar à desidratação. Sudorese intensa (excesso de produção de suor), diabetes (por excesso de eliminação de urina) e outras enfermidades podem produzi-la.

A causa mais freqüente de desidratação na infância são as infecções intestinais, quando não tratadas a tempo e de forma conveniente, que se manifestam principalmente por diarréia e vômitos.

Os sintomas e sinais de uma criança desidratada variam em função do tipo e do grau de desidratação. De maneira geral podemos resumir alguns sinais de suspeita que poderão alertar e orientar as mães:

Sintomas e sinais	Fase inicial	Fase mais avançada
1 – Aspecto geral e comportamento	Irritada, agitada, dando gritos altos. Raramente dorme.	Largada, inconsciente. Não chora mais.
2 – Temperatura	Normal ou elevada.	Elevada. Extremidades frias.
3 – "Moleira"	Normal ou um pouco mais deprimida que habitualmente.	Bem deprimida.
4 – Olhos	Brilhantes, podem estar afundados.	Muito afundados, virados para cima, ou parados. Secos e sem brilho.
5 – Boca	Seca, lábios vermelhos, brilhantes, língua seca.	Lábios arroxeados.
6 – Pele	Quente, seca, podendo estar avermelhada.	Fria, acinzentada. Extremidades arroxeadas.
7 – Sede	Sim, porém vomita após ingerir líquidos.	Não é aparente, em virtude do estado geral.
8 – Volume urinário	Diminuído	Extremamente diminuído.

coco-da-bahia – A água de coco acrescida de uma pitada de sal de cozinha apresenta composição muito semelhante à do plasma sanguíneo. Durante a Segunda Guerra Mundial chegou a ser utilizada como seu substituto.
Seu uso constitui excelente recurso para repor os líquidos perdidos durante episódios de desidratação.

DIABETES

Existem vários tipos de diabetes, sendo o mais comum aquele de origem pancreática, o chamado diabetes melito, que produz aumento de açúcar no sangue (hiperglicemia) e na urina (glicosúria). É causado pela secreção deficiente de um hormônio produzido pelo pâncreas, a insulina.

O diabetes pancreático é habitualmente referido como doença dos três Ps: polidipsia (sede exagerada), poliúria (aumento do volume urinário) e polifagia (aumento do apetite). Além desses sintomas, são comuns fraqueza e emagrecimento.

Geralmente esta doença costuma ser tão mais grave quanto mais cedo se inicia na vida da pessoa: assim é que um diabetes iniciado na infância ou na adolescência costuma ser bem mais severo do que aquele que aparece numa idade avançada.

Seu controle deve sempre ser feito por médico a fim de se evitarem complicações, comuns ao diabetes não adequadamente controlado.

azeitona – O pó dos caroços age contra o diabetes.

caju – Esta fruta, bem como as cascas cozidas do cajueiro, tem ação contra o diabetes.

graviola-do-norte – As flores e os brotos da planta são tidos como possuidores de ação antidiabética.

jambolão – O pó dos caroços é reputado como antidiabético muito eficaz.

pêssego – A fruta é considerada útil no combate ao diabetes.

DIARRÉIA

Numerosas são as causas da diarréia, tais como ação de parasitas intestinais, toxiinfecções alimentares, excesso de determinados alimentos, germes enteropatogênicos, causas psicológicas etc.

Sempre que possível, tratar da diarréia atingindo sua causa, reduzindo-se hoje o uso de antibióticos nesses casos a situações absolutamente excepcionais.

De modo geral não se deve fazer uso de medicação obstipante em casos de diarréia, pois a interrupção abrupta das evacuações pode levar à absorção de produtos tóxicos intestinais, com piora do estado geral do paciente.

abacate – O caroço, tostado e moído bem fino, combate a diarréia.

abio – A fruta, bem como a casca da árvore (em chá), tem ação antidiarréica.

abricó-do-mato – A casca do caule do abricoteiro-do-mato possui propriedades antidiarréicas.

araçá – As folhas do pé de araçá, em decocção, são muito empregadas no tratamento das diarréias.

azeitona verde – A azeitona verde tem ação obstipante, ou seja, "prende" os intestinos, ao contrário da azeitona preta, que é laxativa.

banana – É bem conhecida a ação antidiarréica da banana-maçã (a nanica, pelo contrário, tem atividade laxativa).

baobá – As sementes torradas dos frutos desta árvore têm ação antidiarréica.

buranhém – As cascas da fruta, cozidas, são empregadas com sucesso no combate a diarréias e disenterias.

cabeça-de-negro – Suas sementes são consideradas antidiarréicas.

cabeluda – A polpa comestível desta fruta refrigerante, aromática e adocicada tem atividade antidiarréica.

cagaiteira – Os frutos desta árvore apresentam uma propriedade curiosa: se ingeridos parcimoniosamente têm ação antidiarréica, se, ao contrário, forem consumidos em grande quantidade, passam a provocar a diarréia.

caju – Seu consumo é eficaz no combate a diarréias agudas e crônicas.

cambucá – O fruto desta árvore, suculento e de sabor agridoce, apresenta ação antidiarréica.

cambuci

cambuí-preto – A polpa desta fruta possui ação contra diarréia.

caqui – Quando verde, tem ação obstipante; madura é laxativa.

carambola – Rica em cálcio, ferro e vitamina C, tem ação obstipante.

castanha – A "castanha-de-natal" possui ação antidiarréica.

coco-da-bahia – A água de coco, acrescida de uma pitada de sal de cozinha, é excelente para repor os líquidos e os sais perdidos pelo organismo durante episódios de diarréia.

cutitiribá – A fruta tem ação antidiarréica. A casca da árvore, sob a forma de chá, possui a mesma ação.

figo – Esta fruta tem ação laxativa, porém a infusão das folhas da figueira combate as diarréias.

figo-da-índia – É dotado de propriedades antidiarréicas e antidisentéricas.

framboesa – As folhas da framboeseira, em decocção (15 g para meio litro de água), são muito eficazes no combate a diarréias e disenterias.

ginja-da-jamaica

goiaba – É uma das frutas mais utilizadas contra diarréias (usar as goiabas sem cascas e sem sementes). O chá preparado com folhas de goiabeira ou com os brotos das frutas também é dotado de ótima ação antidiarréica.

graviola-do-norte – Chás preparados com os brotos e as flores desta planta possuem ação antidiarréica.

grumixama – As folhas e as cascas da grumixameira são antidiarréicas.

guabiroba – Infusões preparadas com as folhas e as cascas da árvore têm utilização contra diarréias.

guajiru – Este fruto, comido com a casca, tem ação antidiarréica.

guajuru

ingá – A casca do ingazeiro, quando cozida, é utilizada no combate à diarréia (a fruta, o ingá, tem ação laxativa).

jabuticaba – A casca da jabuticabeira e da própria fruta, em decocção, tem propriedades obstipantes.

jabuticaba-branca

jenipapo

limão

maçã – É uma das frutas mais empregadas no combate à diarréia. É necessário, entretanto, que seja ingerida sem casca, que por conter pectina tem ação laxativa.

manga – O caule da mangueira produz resina eficaz contra diarréias e disenterias (as folhas da árvore, sob a forma de chás, possuem a mesma ação).

mangostão

marmelo – O suco desta fruta, bem como as folhas do marmeleiro, em infusão, combate a diarréia.

morango – Ele é levemente laxativo, porém as raízes do morangueiro bem como as folhas – cozidas – têm ação antidiarréica.

nêspera (ameixa-amarela) – Ao contrário da ameixa (*Prunus domestica*), a nêspera (ameixa-amarela: *Eriobotrya japo-*

nica) tem ação antidiarréica: cozinhar algumas cascas da fruta madura em meio litro de água deixando ferver por trinta minutos e tomar o líquido após coá-lo.
As folhas frescas da ameixa-amarela, em decocção, também possuem propriedades antidiarréicas.

noz – As flores da nogueira são antidiarréicas.

pajurá-da-mata – As sementes desta fruta, secas e trituradas, combatem diarréias e disenterias.

pente-de-macaco

pitanga – O chá de folhas de pitangueira tem ação antidiarréica.

pitomba – Fruta com ação antidiarréica e antidisentérica.

romã – O chá preparado com suas cascas é muito usado com excelentes resultados no combate à diarréia.

sorva-da-europa – Os frutos desta árvore, quando verdes, são antidiarréicos.

tâmara

tatajuba

DOR DE CABEÇA
(Ver também Enxaqueca)

Dor de cabeça (conhecida também como cefaléia ou cefalalgia) não é uma doença e sim um sintoma que pode provir das mais variadas causas, como enxaquecas, sinusites, meningites, hipertensão arterial, aneurismas cerebrais, tumores, perturbações visuais, cansaço, esgotamento, problemas psicológicos.

Evidentemente, para o tratamento eficaz da dor de cabeça há necessidade de ser tratada sua causa.

abacate – As folhas do abacateiro, aquecidas e aplicadas localmente, aliviam de pronto a dor de cabeça.

ameixa – Chupar a ameixa salgada japonesa (*umeboshi*) ou comê-la chupando depois o caroço alivia rapidamente a dor de cabeça proveniente de libações alcoólicas ou de excessos alimentares.

guaraná – As sementes desta fruta combatem as dores de cabeça, inclusive as provenientes de enxaqueca.

limão – Contra dor de cabeça recomenda-se tomar o suco de um limão dissolvido em um pouco de café.

DOR DE OUVIDO

Comum em crianças, a dor de ouvido freqüentemente é causada por otites, que podem ser externas (do conduto auditivo), médias (do ouvido médio, no qual se situam os ossículos do ouvido: martelo, bigorna e estribo) e internas ou labirínticas (do ouvido interno ou labirinto).

Muitas vezes as otites podem-se tornar purulentas, quando são acompanhadas de febre. Produzem acentuada dor e desconforto, necessitando de tratamento enérgico, sob pena de apresentarem graves complicações.

As otites de repetição devem-se muitas vezes ao aumento de volume das adenóides ("carnes esponjosas").

azeitona – Em casos de penetração de insetos no ouvido, um excelente remédio consiste em pingar algumas gotas de óleo de azeitonas (azeite) no local.

fruta-pão – As fatias quentes desta fruta, aplicadas sobre os ouvidos inflamados, aliviam rapidamente os processos inflamatórios.

ECZEMA

É uma doença alérgica, assim como o são também a urticária, a dermatite de contato, a bronquite asmática, a rinite alérgica e outras.

O eczema infantil ou atópico é constituído por áreas vermelhas, úmidas, muito pruriginosas, localizadas nas regiões mais salientes do rosto da criança (testa, queixo, maçãs do rosto). Este tipo de eczema ocorre do terceiro mês até os dois anos de idade e quando desaparece surgem novas lesões, caracterizadas por placas secas, vermelhas, que também coçam muito, mas localizadas preferentemente nas zonas de flexão dos cotovelos e dos joelhos.

Com o desenvolvimento da criança este eczema geralmente desaparece, não deixando cicatrizes, sendo substituído em 70% dos casos por bronquite ou rinite alérgica. Outros 30% curam-se completamente.

abacate – O chá preparado com o cozimento do caroço desta fruta é muito usado, por via interna ou tópica, no tratamento do eczema, em particular do couro cabeludo.

amêndoa – A aplicação local de óleo de amêndoa alivia o prurido produzido pelo eczema.

carambola – Fruta possuidora de ação antieczematosa.

EDEMAS (Inchaços)

Edemas são acúmulos anormais de líquidos no organismo. Podem ser localizados ou generalizados.

Podem ser de causa infecciosa, traumática, inflamatória, carencial, alérgica, renal ou cardíaca.

Os diuréticos são indicados para remover os edemas de origem cardíaca e renal. Assim, consultar *Retenção de Líquidos*, à página 99.

ENXAQUECA
(Ver também Dor de Cabeça)

A enxaqueca caracteriza-se por forte dor de cabeça que ocorre em crises. Tem origem circulatória e freqüentemente se associa a um fator hereditário.

A crise típica atinge a metade do crânio, podendo a dor localizar-se na porção posterior, no topo ou acima de um olho. Pode ser acompanhada de náuseas, vômitos, vermelhidão ou palidez do rosto, distúrbios visuais: aparecimento de pontos pretos ou brilhantes durante a crise, perda momentânea da visão antes da crise.

endro – Os frutos do endro são indicados no combate às enxaquecas acompanhadas de distúrbios digestivos: fazer infusão com 6 g dos frutos em 100 ml de água, deixando repousar por duas horas. Tomar três xicrinhas ao dia.

limão – A ingestão do suco desta fruta ajuda a combater a enxaqueca.

romã – Usar as folhas de romãzeira em infusão: 15 g em meio litro de água, deixando repousar por 15 minutos. Tomar três xicrinhas ao dia.

zimbro – Para o combate à enxaqueca recomenda-se colocar um punhado de "bagas de zimbro" no travesseiro.

ERISIPELA

É doença produzida por uma bactéria – Estreptococo hemolítico – que geralmente penetra no organismo por um ferimento de pele ou de mucosas (nasal, por exemplo) ou como complicação de lesões já existentes na pele, tais como eczema, micoses, estrófulo etc. No recém-nascido pode haver penetração da bactéria pela zona umbilical.

Os sintomas mais freqüentes desta doença contagiosa são: febre, calafrios e aparecimento na pele de área vermelha, brilhante, saliente e endurecida por edema inflamatório; essa área, dolorosa e quente, apresenta bordas irregulares, circinadas.

cajá – O decocto da casca desta fruta, aplicado localmente, é preconizado contra a erisipela, em particular dos pés.

ESCARAS

São áreas necrosadas da pele ou de mucosas. Com freqüência são observadas as *escaras de decúbito* que ocorrem em pessoas obrigadas a permanecer deitadas muito tempo.

frutas cítricas (laranjeira, mexeriqueira, limoeiro, limeira) – Colocando-se debaixo da cama do paciente com escaras um galho de árvore dessas frutas não só se impede a formação de escaras de decúbito, bem como se curam as já existentes.
Os galhos devem ser renovados à medida que forem secando.

ESCARLATINA

A escarlatina, doença infecciosa causada pela bactéria *Streptococcus*, quando típica, inicia-se com febre elevada, dor de garganta e, após 24 a 72 horas, erupção característica. Esta erupção, comparável à que ocorre na exposição prolongada à luz solar, predomina no rosto e no tronco, disseminando-se a seguir para os membros; respeita a vizinhança da boca e do nariz. A língua apresenta-se intensamente avermelhada e com as papilas salientes, adquirindo aspecto de framboesa.

O quadro típico da escarlatina nem sempre está presente, variando os sintomas e sinais de caso para caso, tanto na intensidade como no tipo. A doença pode ser confundida com outras como rubéola, alergias etc.

A mesma pessoa pode apresentar escarlatina mais de uma vez.

cereja – Ferver por dez minutos 4 g dos pedúnculos (cabinhos) das frutas em 100 ml de água e tomar três xicrinhas ao dia.

ESQUISTOSSOMOSE

É uma doença causada por um verme, o esquistossoma. É, portanto, mais uma verminose. A diferença está em que, ao contrário dos outros vermes (lombriga; ancilóstomo – causador do popular amarelão; tênia – conhecida como solitária), o esquistossoma não habita nos intestinos, mas sim no interior de certas veias do fígado.

A esquistossomose não se transmite do mesmo modo que a lombriga e o amarelão. Nestas duas verminoses (as mais comuns) os ovos dos vermes, presentes nas fezes das pessoas doentes, ficam no chão à espera de outra pessoa.

Os ovos do esquistossoma também estão presentes nas fezes de pessoas doentes, mas o chão não é o ambiente para sobreviverem, e aí morrem logo. Para que isso não aconteça é necessário que as fezes caiam na água e é somente aí que esses ovos soltam larvas invisíveis a olho nu. Estas larvas nadam à procura de certo tipo de caramujo e penetram na sua parte mole.

Se não o encontrarem acabam morrendo em cerca de dois dias. Elas não entram em nenhum outro animal, nem mesmo no homem; apenas naquele tipo de caramujo.

O caramujo doente começa a liberar na água um segundo tipo de larva, que vem da transformação da primeira larva dentro dele. É esta segunda larva que fica nadando até encontrar uma pessoa que esteja em contato com aquela água, e então penetra por intermédio da pele e vai atingir o fígado, transformando-se no esquistossoma.

Pelo que foi exposto está claro que as águas de valetas, córregos, rios, lagoas etc. não devem receber fezes humanas, a não ser que os esgotos tenham passado por um tratamento especial.

tamarindo – De acordo com Bruno Mancini, professor titular de Farmacognosia da Universidade Estadual Paulista, em Araraquara (SP), o tamarindo é tóxico contra o parasita que causa a esquistossomose.

ESTRESSE

Consiste em uma resposta do organismo a agressões de qualquer natureza (psíquica, físicas, infecciosas, traumáticas etc.), provocadas em grande parte pelo ritmo frenético da vida moderna, principalmente nas grandes cidades.

Numerosos fatores podem atenuar ou mesmo impedir o aparecimento de tais processos: práticas religiosas, alimentação equilibrada, horário regular de sono, prática habitual de exercícios físicos, abstenção de tóxicos (inclusive fumo e álcool).

areca – Os frutos desta palmeira têm acentuada ação sedativa, sendo inclusive utilizados como narcóticos.

cidra – Sua casca, em infusão, atua como calmante, principalmente se associada à erva-cidreira.

fruta-de-lobo

laranja – As flores da laranjeira produzem a conhecida água-de-flor-de-laranjeira, calmante para os nervos. O chá preparado com estas flores também possui ação sedativa.

lima – Entre as inúmeras propriedades terapêuticas desta fruta inclui-se a de possuir ação sedativa.

maçã – Tem reconhecida ação sedativa.

maracujá – Como sedativo é recomendada a infusão das folhas e flores do maracujá: 15 g em meio litro de água, deixando repousar por 18 minutos. Tomar três xicrinhas ao dia.

melão

palmatória – Os frutos deste cacto possuem propriedades sedativas.

pêssego

tâmara – É fruta dotada de ação sedativa sobre o sistema nervoso.

EXCESSO DE SUOR (Hiperidrose)
(Ver também Problemas relativos ao suor)

morango – Em casos de suores noturnos, ferver por oito minutos 8 g de raiz de morangueiro em 200 ml de água e tomar três xícaras ao dia.

FEBRE
(Ver também Sudoríferos)

Geralmente, porém nem sempre, a febre é sinal de infecção.

Em casos de processos febris de causa infecciosa a febre constitui uma defesa do organismo, que por seu intermédio ativa vários mecanismos defensivos: os leucócitos – glóbulos brancos responsáveis pela defesa – movimentam-se muito mais (leucotaxia); com febre o organismo forma quantidade maior de interferon (substância de ação antivirótica) etc.

Logo, a febre é um "bom sintoma". Sendo benéfica, não se deve procurar baixá-la, a não ser que produza mal-estar muito acentuado ou que a criança por ela acometida faça parte de família na qual haja casos de convulsões: a febre pode desencadear convulsões em crianças predispostas.

Diante de um caso de febre deve-se procurar sua causa e promover o tratamento desta, e não do sintoma febre.

Não há obrigatoriamente relação entre a intensidade da febre e a gravidade da moléstia que a produz.

abio – A casca do abieiro tem atividade antifebril.

abricó-do-mato – A casca do caule desta planta, assim como suas raízes, tem propriedades antifebris.

azeitona – A infusão das folhas de oliveira, bem como da casca da árvore, tem ação antitérmica.

caju – O suco desta fruta é considerado antifebril.

carambola

cruá

cuité – A polpa dos frutos (cuias) verdes é antifebril.

fruta-de-burro – As frutas desta árvore são consideradas antifebris.

groselha

guabiroba – As cascas e as folhas desta árvore, em infusão, costumam ser utilizadas para fazer baixar a febre.

guaraná – As sementes do guaraná, geralmente consumidas torradas, moídas e reduzidas a pó, têm atividade antitérmica.

laranja – Tanto a fruta quanto o chá feito com as folhas da laranjeira combatem a febre.

lechia

lima

limão – Seu uso contribui para baixar a temperatura do organismo.

maçã – O suco desta fruta tem atividade antitérmica.

maracujá – As folhas desta planta, em chás, ajudam a baixar a temperatura do organismo.

murici

pitanga – Com as folhas da pitangueira prepara-se chá dotado de atividade antitérmica.

pitomba

romã – O suco desta fruta tem ação antifebril.

sapoti – A casca do sapotizeiro é dotada de ação antitérmica.

uva-do-mar – Planta cujos frutos têm atividade antifebril.

zimbro – Seus frutos (as "bagas do zimbro") fazem baixar a temperatura do organismo graças à sua ação sudorífera.

FERIDAS; ÚLCERAS; FERIMENTOS
(Ver também Abscessos; Furúnculos)

Denomina-se ferida uma lesão produzida no organismo por golpe, choque ou instrumento perfurante ou cortante. É também sinônimo de ferimento, chaga, úlcera. Do ponto de vista médico pode ser definida como rompimento do revestimento cutâneo incluindo a pele ou também as aponeuroses, que se pode acompanhar de lesões em outros órgãos.

As úlceras constituem perda de substância do revestimento cutâneo ou mucoso, resultantes de processos inflamatórios, vasculares, tumorais ou traumáticos.

avelã – Em casos de feridas rebeldes ou de úlceras varicosas, ferver 50 g de cascas de folhas de avelãzeira em meio litro de água por 12 minutos e usar o decocto em compressas locais.

banana – A parte interna (branca) da casca da banana fresca é um ótimo cicatrizante. Pode ser aplicada sobre feridas, inflamações e queimaduras. Os soldados, durante a Revolução Cubana de 1959, amarravam cascas de banana sobre os ferimentos para cicatrizá-los e estancar hemorragias.
A polpa da banana é usada para tratar feridas profundas, úlceras e queimaduras de primeiro, segundo e terceiro graus. A técnica usada para casos de queimaduras foi introduzida pela enfermeira Irmã Maria do Carmo Cerqueira, no setor de pediatria do Hospital Jesus Nazareno, de Caruaru (Pernambuco), para tratar de crianças queimadas.

framboesa – As folhas da framboeseira, em decocção (15 g para meio litro de água), são empregadas topicamente no tratamento de úlceras e de feridas.

ingá – A casca cozida do ingazeiro costuma ser usada topicamente no tratamento de feridas e úlceras crônicas.

tomate – Em um quilo de banha de porco misturar uma xícara (de chá) de folhas amassadas de tomateiro e aplicar localmente.
Este tratamento era usado para aliviar os ferimentos dos escravos submetidos ao açoite.

FÍGADO, Moléstias do
(Ver também Icterícia; Vesícula Biliar)

É a maior víscera do corpo humano. Situa-se no hipocôndrio direito (porção superior direita do abdome abaixo das costelas). No adulto pesa cerca de um quilo e meio. Visto pela parte anterior apresenta dois lobos: direito – maior – e esquerdo; na parte posterior encontram-se mais dois: caudado e quadrado.

É indispensável ao organismo, realizando numerosas funções vitais, muitas delas não efetuadas por nenhum outro órgão.

camapu – O cozimento feito com o caule, as folhas, as raízes e os frutos do camapu é indicado nas moléstias do fígado.

caqui – Indicado para os males hepáticos.

damasco – É considerado útil no tratamento da cirrose hepática.

framboesa – É usada no tratamento das afecções do fígado e da vesícula biliar.

groselha – É descongestionante do fígado.

jenipapo

lechia

maçã – Nas hepatites recomenda-se lavar bem uma maçã, cortá-la (com a casca) e ferver por dez minutos em meio litro de água. Adicionar uma colher de mel e tomar pela manhã, em jejum.

mamão – Em casos de hepatite aguda é muito recomendável dieta rica nesta fruta.

melancia

melão – É dotado de propriedades estimulantes hepáticas.

morango – As folhas cozidas do morangueiro estimulam o funcionamento do fígado.
Nas hepatites recomenda-se tomar infusão preparada com 25 g das folhas em meio litro de água, deixando repousar por 12 minutos. Pode-se tomar também decocção feita com as raízes do morangueiro: 25 g em meio litro de água, fervendo por cinco minutos. Em ambos os casos tomar três xicrinhas ao dia.

tamarindo – As flores do tamarindo, em infusão, são indicadas nas moléstias hepáticas.

uva – As uvas, bem como as folhas da parreira, são estimulantes das funções hepáticas, constituindo mesmo a base de preparados farmacêuticos para o fígado.

FLATULÊNCIA

A flatulência, ou seja, o excesso de gases no tubo digestivo, pode ser decorrente de uma série de fatores, tais como: ingestão de determinados alimentos produtores de fermentação (feijão, por exemplo); maus hábitos alimentares (comer depressa demais); determinadas doenças (colites, dispepsias fermentativas); maneira errada de oferecer mamadeiras a bebês (mantendo-as em posição horizontal, o que permite a entrada de ar a cada deglutição) etc.

abacate – Com as folhas de abacateiro e os brotos de abacate prepara-se, por infusão ou decocção, chá eficaz contra flatulência.

anis – Erva cujos frutos têm ação antiflatulenta: fazer infusão com 30 g em meio litro de água, deixando repousar por uma hora. Tomar três xicrinhas ao dia.

coentro – Planta dotada de ação carminativa (antiflatulenta): fazer infusão com 20 g dos frutos em meio litro de água, deixando repousar por 25 minutos. Tomar três xicrinhas ao dia.

guaraná

lima – O chá preparado com as cascas desta fruta é muito eficaz contra o excesso de gases, podendo inclusive ser usado por bebês e mesmo por recém-nascidos.

mamão – É muito louvado por suas propriedades digestivas, laxativas e antiflatulentas.

noz-moscada – Tem ação digestiva e antiflatulenta.

uva – Fruta de ação carminativa (antiflatulenta), indicada em casos de fermentações intestinais.

FLEBITE

Denomina-se flebite a inflamação de uma veia, que pode levar à sua obstrução (trombose).

Geralmente as flebites desenvolvem-se após intervenções cirúrgicas, no decorrer de certas cardiopatias ou como conseqüência de feridas ou ferimentos.

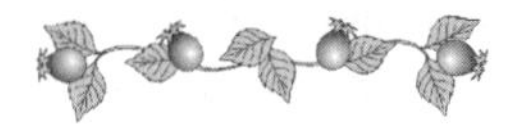

azeitona – Compressas locais com óleo das azeitonas, ou seja, com o azeite de oliva, são indicadas em casos de flebite.

limão – Em casos de flebite recomenda-se amplo consumo desta fruta.

FRIEIRAS

São micoses que se instalam nos pés, conhecidas também como "pés-de-atleta".

O hábito atual de utilizar calçados com sola de material impermeável (borracha, plástico) favorece a instalação e a persistência das frieiras, uma vez que os fungos que as produzem desenvolvem-se bem em meios úmidos e os materiais impermeáveis das solas dos calçados, impedindo a evaporação do suor dos pés, propiciam o desenvolvimento daqueles parasitas.

Recomenda-se então que os materiais impermeáveis sejam substituídos por outros, porosos, como couro ou corda. Pelo mesmo motivo meias de náilon também devem ser evitadas.

Maus hábitos alimentares também favorecem a instalação e a persistência das frieiras.

limão – Friccionar o local acometido com o suco desta fruta.

noz – Ferver 8 g de folhas de nogueira em 100 ml de água por 15 minutos e usar em compressas locais.

GOTA
(Ver também Ácido Úrico; Reumatismo)

Gota é uma doença causada por alteração no metabolismo de substâncias chamadas purinas, o que leva à produção aumentada de ácido úrico, o qual se deposita nas articulações, nos tecidos cutâneos e, por vezes, no aparelho urinário, formando cálculos de ácido úrico.

Nas articulações costuma produzir, nas crises agudas, dores extremamente intensas e fenômenos inflamatórios locais (calor, vermelhidão, inchaço). Nos casos crônicos podem ocorrer lesões destrutivas das articulações.

abacate – O óleo obtido desta fruta, em fricções locais, é muito eficaz em casos de reumatismo e de gota.

abacaxi – A monodieta desta fruta, repetida com intervalos regulares (geralmente uma semana), tem grande eficácia na prevenção das crises de gota e no reumatismo crônico.

castanha – Fruta dotada de propriedades antigotosas.

cereja

kiwi – Esta fruta é considerada possuidora de ação contra gota e reumatismo.

laranja

limão

maçã – Esta fruta, assim como a bebida fermentada sidra, preparada a partir dela, possui propriedades antigotosas.

maná – A casca do fruto, em infusão, é utilizada contra a gota e o reumatismo.

melão

mexerica

morango – Fruta usada eficazmente contra processos reumáticos e gotosos.

pêssego

pitanga – Possui atividade anti-reumática e antigotosa.

tomate – Contra gota aconselha-se tomar diariamente 100 a 150 ml de suco de tomate fresco e maduro.

zimbro – Fazer infusão com 10 g de frutos esmagados, em meio litro de água, deixando repousar por 18 minutos. Tomar três xicrinhas ao dia.

GRIPE E RESFRIADO

Qual a diferença entre gripe e resfriado?

Dizem alguns ser a gripe um resfriado muito forte. Outros, jocosamente, referem que no resfriado o doente fica atrás do lenço e na gripe, atrás do lençol.

Na realidade resfriado é uma indisposição causada por resfriamento súbito do corpo decorrente da falta de agasalho, exposição a correntes de ar, natação em água muito fria sem estar habituado a praticá-la etc. Tais fatores poderão provocar resfriado, que se caracteriza por coriza, catarro, tosse.

Já gripe é doença infecciosa causada por vírus. Trata-se de infecção muito contagiosa que pode revestir-se de grande gravidade, até mesmo com evolução para óbito.

Atualmente existe vacina contra gripe, recomendada em particular a pessoas muito debilitadas, idosas ou com resistência muito comprometida por qualquer motivo.

acerola – Devido à grande quantidade de vitamina C que possui (40 a 80 vezes mais que o limão e a laranja), o consumo de acerola é útil na prevenção e no tratamento de gripes e resfriados.

ameixa – Para tratamento da gripe recomenda-se assar no forno algumas ameixas-pretas sem caroço e, quando estiverem bem duras, socá-las no pilão até serem reduzidas a pó. Mistura-se este com água quente e mel e toma-se o líquido ao longo do dia.

caju – O uso constante desta fruta tem ação preventiva contra gripes e resfriados.

cambará – Atua contra gripes, resfriados, rouquidões e males em geral do aparelho respiratório.

figo – Cozinhar cinco figos secos cortados em fatias finas, em meio litro de leite, por vinte minutos. Beber quente, ao deitar-se.

kiwi – Muito rico em vitamina C, o kiwi ajuda a combater gripes e resfriados.

laranja – O uso constante desta fruta constitui bom preventivo contra gripes e resfriados.

limão – Em casos de gripes e de resfriados é utilizado com muito sucesso o "chá-maravilha" ou "superchá": em uma xícara de água fervem-se, por cinco minutos, alguns dentes de alho, duas cebolas cortadas e limão picado, com casca. Adoça-se com mel e bebe-se bem quente.

Pode-se também fazer infusão com folhas e flores de cardo-santo (12 g em meio litro de água, em repouso por vinte minutos). Misturar com suco de limão e usar em instilações nasais.

Outra receita: fazer infusão com folhas de malva-grande (10 g em 100 ml de água, em repouso por quarenta minutos), acrescentar suco de limão e usar em instilações nasais.

maçã

mamão – O consumo constante desta fruta ajuda a prevenir gripes e resfriados.

mexerica – Seu consumo regular também auxilia na prevenção contra gripes e resfriados.

tomate – Tomar 100 ml de suco de tomates frescos e maduros, diariamente.

HEMORRAGIAS
(Anti-hemorrágicos)

As hemorragias dos diversos órgãos e sistemas têm nomes diferentes: Assim é, por exemplo, que se denomina *epistaxe* a perda de sangue pelo nariz; *hemoptise* aquela proveniente do aparelho respiratório; *metrorragia* quando o sangue provém do aparelho genital feminino; *hematúria* a presença de sangue na urina; *hematêmese* a hemorragia da porção alta do aparelho digestivo; *enterorragia* e *melena* a perda de sangue proveniente de porções baixas desse aparelho.

Apesar de bastante antiga (data de 1905), a teoria de Morawitz ainda é aceita, em linhas gerais, para explicar o mecanismo da coagulação do sangue: o fato principal desse processo é a transformação do fibrinogênio (proteína existente normalmente no plasma sanguíneo) em fibrina, substância com aspecto de rede, em cujas malhas são aprisionados os elementos figurados do sangue.

As plaquetas, rompendo-se (devido a cortes, traumatismos etc.), liberam uma substância chamada tromboplastinogenase, indispensável à coagulação, como o são também a vitamina K, o cálcio e outras.

Cada um dos fatores indispensáveis à coagulação do sangue é designado por número, escrito em algarismos romanos (de I a XII).

ameixa-amarela

amora

araçá – A casca do caule do araçazeiro é eficaz no combate às hemorragias.

cambuí-verdadeiro – A ingestão desta fruta ajuda a combater hemorragias.

goiaba – Chá preparado com brotos de goiaba e folhas de goiabeira age contra hemorragia uterina. Tomar à vontade.

jabuticaba – A casca da jabuticabeira e da própria fruta, em decocção, tem propriedades anti-hemorrágicas.

limão – Contra hemorragias recomenda-se tomar diariamente 100 ml do suco desta fruta, com água.
Em casos de púrpura pode-se também aplicar o suco localmente, em compressas.

noz – Tomar decocção de folhas de nogueira (30 g em meio litro de água, deixando ferver por dez minutos).
Em hemorragias vaginais pode-se usar sob forma de lavagens.

HEMORRÓIDAS

São varizes das veias anorrenais, as veias hemorroidárias. Vários fatores, como obstipação intestinal (prisão de ventre) e vida sedentária, facilitam seu aparecimento.

Costumam produzir diversos sintomas, tais como hemorragias locais, dores, mal-estar etc.

Os mamilos hemorroidários (as saliências das veias) podem ou não exteriorizar-se pelo ânus, uma vez que as hemorróidas podem ser internas ou externas.

figo – Amassar bem dois figos, reduzindo-os a uma papa; misturá-la então com um pouco de mel e farinha de trigo. Usar em aplicações locais.

marmelo – Sob a forma de cataplasmas, o marmelo, cozido e amassado, alivia as hemorróidas externas.

melão – A polpa desta fruta é usada no tratamento das hemorróidas internas: introduzem-se no reto pedaços de melão cortados em formato cilíndrico.

sorva-da-europa – Esta fruta, quando verde, produz suco que aplicado localmente tem ação anti-hemorroidária.

tomate – Empregado em cataplasmas, combate as hemorróidas.

HIPERACIDEZ

O excesso de acidez (hiperacidez) pode ser localizado, atingindo apenas uma parte do organismo; é o que ocorre, por exemplo, em órgãos do aparelho digestivo, determinando a ocorrência de gastrites, gastroduodenites ou úlceras. Pode atingir também todo o organismo, determinando a chamada acidose, a qual pode ocorrer, por exemplo, em casos de diabetes compensado.

abacaxi – Ingerida fora das refeições esta fruta diminui o excesso de acidez do estômago.

laranja – Todas as laranjas, mesmo as azedas, são eliminadas como radicais alcalinos, tendo ação alcalinizante no organismo, combatendo estados de acidose.

limão – Esta fruta, a exemplo do que ocorre com a laranja, e apesar do sabor extremamente ácido, é eliminada sob a forma de radicais alcalinos, tendo ação alcalinizante sobre o organismo.

maçã

melão – Esta fruta tem ação alcalinizante.

morango – Entre várias outras ações medicinais, o morango apresenta a de ser antiácido.

uva – Por ser alcalinizante, combatendo a acidez sanguínea, esta fruta é indicada a pessoas intoxicadas pelo consumo excessivo de carne.

ICTERÍCIA

Icterícia é uma coloração amarela da pele, às vezes amarelo-ovo e outras tendendo a uma tonalidade esverdeada. É causada pela presença no sangue e nos tecidos de uma quantidade exagerada de substância colorida chamada bilirrubina, normalmente produzida em quantidades muito pequenas. O excesso de produção dessa substância, que ocorre em alguns doentes, ou a defeituosa eliminação pelas vias biliares, que ocorre em outros, podem ser responsáveis pela icterícia.

Além da coloração amarela da pele, a icterícia pode ser notada também nos brancos dos olhos e na boca.

Geralmente a icterícia é atribuída a doenças do fígado, o que nem sempre corresponde à realidade, uma vez que existem icterícias de causas não-hepáticas como destruição excessiva de glóbulos vermelhos (nas anemias hemolíticas: do Mediterrâneo, falciforme), obstrução dos canais excretores da bile (por tumores, cálculos, malformações, agenesias).

banana – A seiva do tronco da bananeira tem ação no tratamento da icterícia.

IMPOTÊNCIA SEXUAL

A impotência – dificuldade ou impossibilidade de realizar ou completar o ato sexual por ausência ou insuficiência de ereção do pênis – é, na maior parte dos casos, principalmente em jovens, resultante de causas psicológicas. Podem existir também, em particular nos mais velhos, causas orgânicas da impotência, como diabetes, distúrbios circulatórios, afecções do sistema nervoso, lesões da medula espinhal.

caju – A castanha de caju (que é o verdadeiro fruto do cajueiro) é tida como eficaz contra a impotência sexual.

INSÔNIA

Assim como na infância, na idade adulta a insônia também pode ser devida a múltiplas causas. Admite-se que as crianças que não tenham "aprendido a dormir" (há técnicas eficazes para isso) até a idade de cinco anos terão muita possibilidade de apresentar distúrbios do sono quando adultas.

INSÔNIA INFANTIL

Numerosas são as causas deste mal; em crianças (lactentes e crianças maiores), entre os mais comuns, encontram-se:

- Problemas dietéticos – A serem resolvidos pelo pediatra, que poderá recomendar reforço da última refeição noturna.
- Quarto quente e seco demais.
- Início de freqüência à escola em época excessivamente precoce.
- Distúrbios afetivos (ansiedade, tendência à oposição).

- Hábito de ter dormido durante tempo prolongado no quarto dos pais.
- Medo de escuro, de ladrões.
- Excitação causada pela televisão (programas inadequados).
- Problemas escolares.
- Excessiva fadiga física ou intelectual.

areca – Os frutos desta palmeira são empregados pelos nativos da Ásia e da Indonésia como narcóticos.

laranja – As flores de laranjeira são utilizadas para preparar a famosa água-de-flor-de-laranjeira, muito utilizada no combate à insônia.

maçã – Fruta eficaz no combate à insônia.

maracujá – Fazer infusão com as folhas e as flores (6 g em 200 ml de água, deixando repousar por 18 minutos). Tomar uma xícara à noite, ao deitar-se.

tâmara

....

INSUFICIÊNCIA DE SUCO PANCREÁTICO

Pâncreas é um órgão situado atrás do estômago, de direção transversal, com cerca de 15 cm de comprimento e pesando aproximadamente 80 g. Ele possui duas funções distintas:

a) secreção do suco pancreático, rico em ferimentos digestivos e de capital importância para o processo de digestão dos alimentos;
b) secreção de um hormônio, a insulina, fundamental para o metabolismo dos açúcares e cuja falta irá produzir o diabetes pancreático ou diabetes melito.

amora – Em caso de deficiência na secreção de suco pancreático recomenda-se decocção de folhas de amoreira negra: 6 g em 100ml de água, deixando ferver por dois minutos. Tomar duas ou três xicrinhas ao dia.

INTOXICAÇÕES

Chama-se tóxica uma substância capaz de produzir envenenamento ou intoxicação.

Os tóxicos podem atingir o organismo de diversos modos:

- Inalação – É o caso, por exemplo, dos gases asfixiantes utilizados na guerra e do fumo (tabaco).
- Ingestão – Alimentos podem conter tóxicos naturalmente (é o caso, por exemplo, do ácido cianídrico contido na mandioca brava). Estes, por sua vez podem ser introduzidos pelos agrotóxicos ou por aditivos. O álcool é tóxico introduzido no organismo por ingestão.
- Via cutânea – A pele é superfície absorvente e por intermédio dela tóxicos podem ser introduzidos no organismo.
- Via injetável – É o caso de drogados.

laranja – Em casos de intoxicação crônica por tabaco aconselha-se tomar diariamente o suco de duas laranjas, pela manhã, em jejum.
Pode-se também fazer infusão com folhas de laranjeira (10 g em meio litro de água, em repouso por vinte minutos). Tomar uma xícara à noite, ao deitar-se, com mel.

uva – Por ser alcalinizante esta fruta combate a acidez sanguínea, sendo indicada a pessoas intoxicadas pelo consumo excessivo de carne.

MAGREZA

Gordura é sinal de saúde? Magreza é sinal de doença? Gordo é sinônimo de forte?

Sabe-se, de há muito, que os conceitos acima não são verdadeiros: gordura não é sinal de saúde, assim como magreza não é sinal de doença.

Obviamente há doenças que podem produzir emagrecimento e, nesses casos, o indivíduo *emagrecido* deve procurar a causa de seu mal e promover seu tratamento.

Em alguns casos a magreza excessiva pode acarretar problemas de ordem estética.

coco – Em casos de magreza muito acentuada consumir amplamente esta fruta.

figo – Ferver cinco ou seis figos secos em meio litro de leite por dez minutos, acrescentar uma boa colherada de mel e tomar como desjejum, juntamente com biscoitos de fécula de batata.

noz – Consumir amplamente esta fruta, com pão de trigo integral ou de centeio.

MALÁRIA ou MALEITA

Maleita, malária, impaludismo, sezão, febre terçã é uma doença infecciosa aguda (algumas formas podem evoluir de modo crônico) causada por um protozoário do gênero *Plasmodium*.

Costuma-se caracterizar por acessos de febre que ocorrem cada 24 a 72 horas, acompanhados de calafrios, mal-estar geral, dores de cabeça e por todo o corpo. No final do acesso o doente sua profusamente.

A transmissão desta doença se faz pela picada de determinados mosquitos do gênero *Anopheles*. Pode haver também transmissão por sangue contaminado.

Até o presente ainda não se dispõe de vacina contra a malária.

noz – Fazer infusão com as folhas da nogueira (15 g em meio litro de água, deixando repousar por meia hora). Tomar três xicrinhas ao dia.

MAU HÁLITO

O mau hálito (halitose) causa sérios problemas a seus portadores. Suas causas são numerosas e entre elas podemos citar:

- Má escovação – Ao escovar os dentes deve-se sempre escovar também a língua, pois entre as papilas (pequenas saliências) linguais podem acumular-se resíduos de alimentos que, não sendo eliminados, terão possibilidade de entrar em processos de fermentação e putrefação, produtores de mau hálito.
- Má alimentação – A ingestão de excesso de toxinas na alimentação – o que ocorre, por exemplo, em pessoas que comem demasiadamente – obriga o organismo a eliminá-la por vários órgãos, inclusive os pulmões por meio de ar expirado, o que freqüentemente produz mau hálito.
- Doenças localizadas na boca (estomatites, gengivites, males dentários) e proximidades (garganta, cavidades paranasais).
- Ingestão de determinados alimentos, como o alho e a cebola entre os mais conhecidos.
- Algumas doenças do aparelho digestivo e respiratório.
- Hábito de fumar.

limão – O suco desta fruta pode ser usado para limpar os dentes, desinfetar a boca e purificar o hálito.

zimbro – Colocam-se em meio litro de água fervendo 30 g de folhas secas de alfavaca, 30 g de "bagas de zimbro" e 10 g de folhas de rosa vermelha. Quando o líquido estiver morno, filtrá-lo espremendo bem as folhas e as bagas para fazer sair o suco. Usar em bochechos após escovar os dentes.

MAU HUMOR (Distimia)

A mudança de humor ocasionalmente apresentada pelas pessoas quando as coisas não vão bem não é uma doença.

O mau humor a que aqui nos referimos é aquele crônico, o da pessoa que parece estar sempre de mal com a vida, cronicamente irritada, pessimista. Este quadro é denominado distimia e constitui um transtorno passível de tratamento e de recuperação.

A distimia não tratada pode durar vários anos e até mesmo a vida inteira, trazendo prejuízos à vida social e profissional do doente, que muitas vezes procura refúgio no álcool ou em calmantes, agravando um problema que por si já é bastante sério.

A distimia pode ocorrer na infância e na adolescência e para que seu diagnóstico seja estabelecido há necessidade de que os sintomas estejam presentes há pelo menos dois anos.

Este mal assemelha-se, sob alguns aspectos, à depressão, a qual pode ocorrer paralelamente à distimia.

Sua causa permanece ignorada até o presente.

castanha-do-pará – Alimento que combate o mau humor graças a seu alto conteúdo de selênio.

NÁUSEAS

As náuseas (enjôos) constituem sensação extremamente desagradável e podem provir de causas muito variadas como: gastrites, úlceras gastroduodenais, enxaquecas, gravidez, hepatite, viagem em veículos diversos ("cinetoses"), intoxicações alimentares, apendicites, colecistites, cálculos biliares, labirintites, problemas neurológicos, problemas psíquicos etc.

framboesa – Com as folhas da framboeseira é preparado chá muito louvado contra náuseas.

limão – Contra náuseas e vômitos (de qualquer origem) recomenda-se cheirar um limão cortado.

NEVRALGIA

Os nervos do organismo dividem-se em dois grupos; os cranianos ou encefálicos (que se originam do encéfalo, em número de doze pares) e os raquianos ou medulares, com origem na medula espinhal.

O termo nevralgia provém do grego: *neuron* = nervo + *algos* = dor. Designa dor que se localiza no trajeto de um nervo, podendo ser contínua ou paroxística (em surtos).

A nevralgia pode ter causas variadas, como neurites, compressão por tumores, processos inflamatórios e infecciosos, intoxicações. Em muitos casos, como ocorre em nevralgias faciais, a origem permanece indeterminada.

ameixa – O consumo de ameixa salgada japonesa (*umeboshi*) costuma dar bons resultados em casos de nevralgias.

graviola-do-norte – As flores e os brotos dos frutos, sob a forma de chás, atuam contra nevralgias (em uso interno).

limão – Massagear o local dolorido com esta fruta.

OBESIDADE

Muito raramente a obesidade é conseqüência de problemas metabólicos ou endócrinos: menos de 5% dos casos são causados por esses fatores.

Segundo Stunkard, apud C. Cesar, os genes determinam se o indivíduo pode tornar-se obeso, mas é o meio ambiente que vai proporcionar, ou não, o desenvolvimento da obesidade.

Maus hábitos alimentares, ausência de prática regular de exercícios físicos e problemas de natureza psicológica contam na gênese da imensa maioria dos casos de obesidade, problema que deve ser tratado por equipe multidisciplinar, composta de médico, nutricionista, psicólogo, professor de educação física e, eventualmente, assistente social.

abacaxi – A monodieta desta fruta é usada com bons resultados em casos de obesidade.

cereja – Fazer decocção com os pedúnculos (cabinhos) das frutas: 5 g em 100 ml de água, deixando ferver por dez minutos. Tomar três xícaras ao dia, com suco de limão.

limão – Fazer decocção com folhas de alcachofra: 25 g em meio litro de água, deixando ferver por 15 minutos. Tomar três xícaras ao dia, com suco de limão.

Fazer infusão com folhas de borragem: 30 g em meio litro de água, por vinte minutos. Tomar três xícaras ao dia, com suco de limão.

Fazer decocção com raízes de chicória: 30 g em meio litro de água, deixando ferver por dez minutos. Tomar três xicrinhas por dia, com suco de limão.

Recorrer à dieta do limão", que consiste no seguinte: no primeiro dia toma-se o suco de um limão-galego; no segundo dia, o suco de dois limões; no terceiro, o suco de três; e assim por diante, até chegar ao décimo dia, com o suco de dez limões. A partir daí se vai decrescendo: no 11º dia toma-se o suco de nove limões; no 12º dia, o suco de oito limões etc., até encerrar o tratamento, com o suco de um limão, no 19º dia.

Neste tratamento o suco deve ser tomado puro, ao menos uma hora antes da primeira refeição (café da manhã), em jejum. Crianças de até dez anos têm de reduzir a quantidade para até, no máximo, cinco limões.

Para adultos, alguns autores preconizam a continuação do tratamento até chegar a 21 limões diários, para então iniciar a fase decrescente.

Os limões devem ser sempre galegos e maduros.

maçã – Fazer infusão com uma maçã com casca, cortada em pedaços pequenos, juntamente com 10 g de melissa, em meio litro de água fervente. Deixar por dez minutos e beber no período da manhã.

Costuma-se empregar, com bons resultados, a "dieta de maçã", que consiste no seguinte: ingerir de três a cinco maçãs ao dia, distribuídas em três a sete dias ou mais, de acordo com o caso (até duas ou três semanas); após o segundo ou terceiro dia pode-se aumentar para até dez maçãs por dia.

O vinagre de maçã também é empregado contra obesidade.

uva – No tratamento da obesidade recomenda-se a dieta de uva por três dias.

Esta dieta consiste em consumir, no primeiro dia, um kg de uvas em bagas ou sob a forma de suco, com ou sem casca. As frutas devem ser bem maduras e isentas de produtos tóxicos.

Pode-se aumentar a quantidade até 3 kg por dia, distribuídos em cinco ou seis refeições diárias.

A dieta de uvas, que deve sempre ser feita sob supervisão médica, pode ser pura ou misturada com outras frutas, podendo-se prolongar por tempo bem maior.

ORQUITE

É a inflamação dos testículos. Estes são os órgãos sexuais masculinos, em número de dois, situados no interior de uma bolsa chamada escroto.

Os testículos, as gônadas masculinas, possuem duas funções distintas:

a) formam as células reprodutoras masculinas, ou gametas masculinos: os espermatozóides;
b) formam o hormônio sexual masculino, a testosterona.

A orquite pode ser conseqüência de agentes virais, bacterianos, químicos, traumáticos, micóticos, parasitários e, às vezes, tem causa ignorada.

O quadro clínico das orquites caracteriza-se por dor (que pode irradiar-se para a região lombar), inchaço, rubor (vermelhidão) e calor local.

zimbro – Fazer infusão com os frutos: 6 g em 200 ml de água, deixando repousar por 18 minutos. Tomar três xicrinhas ao dia.

OSTEOPENIA, OSTEOPOROSE
(Ver também Raquitismo)

Ossos são órgãos duros, elásticos e resistentes, que no adulto jovem, entre 25 e 30 anos de idade, são normalmente em número de 206. Esse número varia com a idade, uma vez que não são poucos os que se fundem entre si com o decorrer dos anos (exemplos: ossos do sacro e do cóccix).

Quanto à forma, classificam-se em longos (ex.: fêmur), curtos (ex. vértebras) e chatos (ex.: escápula ou omoplata).

No interior dos ossos longos e curtos existe uma substância gelatinosa, a medula óssea, na qual são formados glóbulos sanguíneos.

O peso do esqueleto, segundo estudo feito por vários autores, é de 18% do peso total do indivíduo.

Os ossos podem sofrer alterações em várias eventualidades. Por exemplo, em casos de raquitismo (ver página 98) e de fraturas.

Outra condição que acarreta alterações ósseas é a menopausa. Pode ocorrer a desmineralização dos ossos, que se tornam menos densos e mais porosos: é a osteopenia. Em casos mais acentuados, chama-se osteoporose.

Esta é a razão pela qual as fraturas são mais comuns em quedas após a menopausa.

abacaxi – Pesquisas realizadas pela dra. Jeanne Freeland-Graves, professora de Nutrição da Universidade do Texas, em Austin, demonstraram que o manganês é elemento importante no metabolismo ósseo e sua deficiência ocasiona osteoporose severa em animais.
A autora em questão recomenda o uso de abacaxi para prevenção e tratamento da osteoporose, dado o elevado teor de manganês desta fruta.
Outras fontes importantes de manganês: nozes, cereais integrais em geral (arroz, trigo, aveia etc.), feijão, espinafre.

groselha – Consumir amplamente os frutos. Pode-se também fazer infusão com as folhas da groselheira: 20 g em meio litro de água, por vinte minutos. Tomar três xicrinhas ao dia.

PALPITAÇÕES

São batimentos cardíacos percebidos pelo indivíduo, geralmente com aumento da freqüência cardíaca (taquicardia) ou com perturbações no ritmo (arritmia).

Nas pessoas de coração normal as palpitações costumam associar-se a um "eretismo cardíaco", ou seja, uma hiperexcitabilidade cardíaca desencadeada por vários fatores: ansiedade, tensão, estresse, bebida alcoólica, fumo, chá, café.

limão – Tomar 150 ml de suco desta fruta ao dia, dissolvido em água (meio a meio).

maracujá – Fazer infusão com as folhas e flores (15 g em meio litro de água, deixando 15 minutos). Tomar três xicrinhas ao dia.

PANARÍCIO

É a infecção aguda de um dedo, que pode resultar de um ferimento.

azeitona – Fazer decocção com as folhas de oliveira (10 g em 100 ml de água, deixando ferver por vinte minutos). Usar localmente, em compressas quentes.

PARASITAS INTESTINAIS

Os parasitas intestinais pertencem a dois grupos diferentes: protozoários e vermes.

Os primeiros têm o corpo formado por apenas uma célula, sendo microscópicos, portanto invisíveis a olho nu. Exemplos de protozoários: giárdia, ameba.

Os vermes, também chamados helmintos, são animais bem maiores: seu tamanho pode variar de alguns milímetros a vários metros de comprimento. Quando a pessoa é parasitada por verme diz-se que apresenta verminose ou helmintíase.

As verminoses mais comuns entre nós são as teníases (produzidas pelas tênias ou solitárias), ancilostomíases (que causam o amarelão), ascaríases (produzidas pelos áscaris ou lombrigas), enterobíases (produzidas pelos enteróbios ou oxiúros), estrongiloidíases, tricocefalíases.

Há sintomas comuns a todas as parasitoses intestinais: inapetência, náuseas, vômitos, dores abdominais, diarréia e, menos freqüentemente, prisão de ventre. A pessoa parasitada pode apresentar apenas um desses sintomas, vários deles ou todos associados.

É possível haver complicações das parasitoses intestinais, algumas de grande gravidade:

- As amebas podem cair na corrente sanguínea e ser levadas a outras partes do corpo (fígado, cérebro), onde poderão produzir abscessos.
- As tênias (solitárias) põem ovos que podem ser levados a todo o organismo, de preferência músculos e cérebro, onde evoluem para larvas chamadas cisticercos, as quais produzem uma doença muito grave, a cisticercose, que no cérebro pode acarretar cegueira, convulsões, dor de cabeça e alterações psíquicas.
- A ancilostomíase e a tricocefalíase causam anemia.
- Os áscaris (lombrigas), que podem eventualmente ser eliminados pela boca e pelo nariz, podem penetrar nas vias biliares produzindo abscesso hepático e nos canais biliares, levando a uma pancreatite aguda; podem também ocluir o orifício de comunicação do apêndice com o ceco, acarretando apendicite. Tais complicações são raras, porém com certa freqüência os vermes enovelados causam obstrução do intestino, com distensão abdominal, vômitos (às vezes fecalóides), parada de eliminação de gases e de fezes.
- A fêmea do enteróbio pode deixar o aparelho digestivo e atingir a vulva e a vagina, ocasionando infecção e aparecimento de corrimento vaginal.

abacate – A casca moída desta fruta é um bom remédio contra vermes intestinais.

amora – A casca da amoreira tem ação contra vermes intestinais.

araticum – Os frutos e as folhas desta árvore, em infusão, têm propriedades anti-helmínticas.

bucha-paulista – Os frutos desta planta costumam ser usados como vermífugos.

coco – A polpa do coco verde ou seco tem ação vermífuga. A água do coco verde também possui tal ação.

figo – Comido cru e em jejum é dotado de ação contra vermes intestinais.

fruta-de-burro – É considerada possuidora de ação antiverminótica.

mamão – As sementes, secas e trituradas, combatem vermes intestinais: tomar uma colherinha do pó misturado com mel, três vezes ao dia, por três dias consecutivos.

manga – A castanha contida no caroço desta fruta é dotada de ação vermífuga.

mangostão

maracujá – Às sementes são atribuídas propriedades antiparasitárias: secá-las e moê-las, tomando o pó em jejum.

melão – As sementes, secas e trituradas, são vermífugas, agindo principalmente contra tênias (solitárias): ingeri-las em jejum, fazendo uso de purgativo salino uma hora depois.

morango

noz – Fruta considerada eficaz no tratamento das tênias (solitárias).

romã – A casca da fruta, bem como as cascas das raízes e da árvore, tem ação contra vermes intestinais, principalmente tênias (solitárias).

tamarindo – As folhas do tamarindeiro, em infusão, são vermífugas.

umari – Esta fruta é considerada eficaz no combate a parasitoses intestinais.

PELE, Doenças de

(Ver também Depurativos; Eczema; Escaras; Feridas; Úlceras; Protetores Solares)

Muitos de nossos contatos com o meio ambiente são efetuados por meio da pele, mediante células mortas existentes em sua camada mais superficial, as quais formam um manto protetor sobre as células vivas, situadas abaixo, mais profundamente.

A pele possui numerosas funções, entre as quais:

1) Recobre o corpo e protege os tecidos profundos contra ressecamento e agressões.

2) Protege contra invasão por organismos estranhos.
3) Colabora, de várias maneiras, para a regulação da temperatura corpórea.
4) Contém terminações de numerosas fibras sensitivas, por meio das quais recebemos os impulsos do meio ambiente (sentidos cutâneos).
5) Está intimamente associada às sensações vibratória e de pressão.
6) Tem poder de absorção.
7) Função excretora, realizada principalmente à custa das glândulas sudoríparas.

Como apêndices ou anexos da pele compreendem-se os pêlos, as unhas, as glândulas sebáceas e as glândulas sudoríparas. Estas se acham situadas na camada profunda da pele, denominada derme ou córion (a camada mais superficial chama-se epiderme), e produzem o suor, que é comparado a uma urina diluída. Calcula-se que a pele, neste particular, equivale a meio rim.

abacate – Devido à sua ação benéfica sobre a pele e os cabelos, o abacate constitui a base de uma série de produtos de beleza, tais como cremes, xampus, sabonetes, emulsões hidratantes, loções etc.

amêndoa – É largamente empregada na indústria de cosméticos que a utiliza na fabricação de diversos cremes e produtos para a pele.
Contra irritações da pele causadas pelo vento ou pelo sol, recomendam-se aplicações locais de loção preparada com 50 g de suco de agrião e dez gotas de essência de amêndoas amargas.

lima – É eficaz no combate a moléstias de pele.

limão

mamão – O mamão maduro, esfregado sobre a pele, elimina manchas e espinhas. As folhas do mamoeiro, esfregadas nas mãos, deixam-nas lisas e macias.

melão – A monodieta desta fruta deixa a pele sedosa e combate as rugas. É considerada uma dieta de rejuvenescimento.

PICADAS DE INSETOS

Insetos são animais pertencentes à classe dos artrópodes. Numerosíssimos, apresentam cerca de 900 mil espécies. São dotados de seis patas e seu tamanho pode variar de 1/3 de mm (certos mosquitos) a 30 cm (como o bicho-pau, de estrutura longa e fina, que se confunde com galhos verdes ou secos).

Vários insetos podem picar o homem, como as abelhas, as vespas ou os marimbondos, as formigas, as pulgas, os pernilongos, os borrachudos, certas moscas etc. As picadas de alguns deles podem ocasionar acidentes graves e até mesmo fatais.

No caso de abelhas e marimbondos, enquanto aquelas raramente atacam em grande número (salvo as africanas, que voam em enxames), estes quase sempre o fazem. O risco de morte provém mais da multiplicidade das picadas, porém registram-se casos fatais após uma única picada de abelha ou vespa, às vezes por choque anafilático. Ferroadas na boca ou no pescoço podem causar morte por asfixia mecânica. Crianças e pessoas debilitadas são particularmente sensíveis ao veneno.

As formigas não são perigosas pelo veneno e sim pelo grande número possível de ferroadas.

tomate – Fazer compressas locais com tomate, de preferência associado a alho.

urucum – Nossos indígenas usavam e continuam usando muito o urucum não só para pintar o corpo, com finalidade estética, mas também para protegê-lo contra os raios solares e as picadas de insetos.

PRISÃO DE VENTRE

Prisão de ventre, constipação intestinal ou obstipação intestinal existe quando há dificuldade para evacuar; do ponto de vista médico, para caracterizar a prisão de ventre há necessidade de estar presentes os três elementos seguintes:

- esforço para eliminação das fezes, acompanhado de maior ou menor sofrimento;
- fezes endurecidas, isto é, de consistência aumentada;
- freqüência de evacuações reduzida, com intervalos entre elas maior do que 24 horas, em geral entre 36 e 48 horas.

O elemento primordial, porém, é o esforço para eliminação das fezes; assim é que pode existir prisão de ventre mesmo havendo evacuação de fezes líquidas.

A constipação intestinal pode apresentar, conforme o modo como se instala, dois aspectos:

- pode ser repentina, aparecendo em pessoas cujo ritmo intestinal é normal, sendo portanto momentânea (pode decorrer da ingestão de determinados alimentos, certos remédios etc.).
- ser crônica, isto é, de há bastante tempo, instalando-se gradualmente.

Considera-se ideal que o número de evacuações seja de duas a quatro vezes por dia, com eliminação de fezes formadas, de consistência normal e eliminadas sem dificuldade.

Vários fatores, entretanto, fazem com que a maioria das pessoas esteja bem distante disso:

- alimentação pobre em fibras (estas são encontradas em verduras, bagaço de frutas, cereais integrais);
- falta do salutar hábito de beber freqüentemente água (fora das refeições, entretanto);
- falta do hábito de praticar exercícios físicos regularmente;
- "segurar" a evacuação, não atendendo às solicitações da região intestinal.

alfarroba – O fruto da alfarrobeira, assim como as sementes, é empregado como laxante.

ameixa – A ameixa-preta é tradicionalmente utilizada em casos de obstipação intestinal, inclusive de bebês. Para estes costuma-se utilizar a água ou o chá de ameixas-pretas.

ameixa-da-terra – A polpa desta fruta é eficaz contra a prisão de ventre.

amêndoa – O óleo de amêndoas doces é laxante suave e eficaz, indicado inclusive para crianças.

amora – Fruta com ação laxativa (a casca da amoreira é purgativa).

avelã – Desta fruta é extraído óleo com propriedades laxativas.

azeitona – Possui propriedades laxativas (em particular a azeitona preta). O óleo extraído desta fruta, o famoso azeite de oliva, é muito empregado com esta finalidade. Recomenda-se, à noite, ao deitar-se, tomar meia xícara de suco de acelga com uma colher (de chá) de azeite de oliva.

banana – A banana-nanica, ao contrário das demais (principalmente da banana-maçã, que é muito obstipante), possui ação levemente laxativa.

camapu – Este fruto, quando verde, tem ação laxativa.

caqui – Quando bem maduro tem ação laxativa (enquanto verde, quando "pega" na boca, tem ação contrária: é obstipante).

castanha-do-maranhão

cereja

figo

framboesa

fruta-do-conde – As folhas da árvore têm ação laxativa.

fruta-pão

ingá

jujuba

jutaí

kiwi

laranja – É laxativa, principalmente se ingerida com o bagaço.

lima – Assim como a laranja, a lima, sobretudo se ingerida com o bagaço, é laxativa.

maçã – É utilizada habitualmente como obstipante, ou seja, destinada a "prender" o intestino, mas sua casca é laxativa.

mamão – Esta fruta é, com muita razão, reputada como laxativo eficaz. Seu efeito é ainda mais acentuado se forem ingeridas também as sementes (preferentemente sem serem mastigadas, devido ao gosto desagradável que apresentam).

melancia – Fruta levemente laxativa.

melão

melão-de-são-caetano – O fruto desta trepadeira possui ação laxativa.

mexerica

morango – Apresenta ação laxativa suave.

noz

pêra

pêssego

tamarindo – Tem conhecida ação laxativa, constituindo mesmo a base de numerosos produtos farmacêuticos existentes no mercado com tal finalidade. Essa ação é atribuída não somente à celulose, como também aos ácidos existentes no tamarindo: tartárico, cítrico, cremotartárico e málico.

tomate

uva – Fruta ativadora das funções intestinais, estando indicada em casos de prisão de ventre, flatulência e fermentação intestinal excessivas.

PROBLEMAS DA MENOPAUSA

É o período da vida feminina no qual cessam as menstruações. Costuma ocorrer entre os 45 e os 55 anos de idade e geralmente se acompanha por uma fase de irregularidades menstruais.

A menopausa pode ser acompanhada de sintomas bastante desagradáveis: ondas de calor (os "fogachos"), irritabilidade, excesso de eliminação de suor, ressecamento acentuado da mucosa vaginal, pele precocemente desidratada etc. Muitos fatores contribuem para o aparecimento e a manutenção desses sintomas: uso de anticoncepcionais, ingestão de álcool, tabagismo, tensão, estresse.

limão – Numerosas perturbações da menopausa, como rubor, suor e ondas de calor, são grandemente aliviadas pelos "banhos de limão" (Ver *Corrimentos Vaginais*, à página 39).

maracujá – Fazer infusão com as folhas e flores (15 g em meio litro de água, em repouso por 18 minutos). Tomar três xicrinhas ao dia.

melão – Esta fruta, principalmente se consumida em monodieta, está indicada nos distúrbios da menopausa, em particular nas ondas de calor. Age também em vários tipos de desequilíbrio hormonal feminino.

tomate – Tomar diariamente de 150 a 200 ml de suco de tomates maduros e frescos.

PROBLEMAS DE PRESSÃO ARTERIAL
(Ver também Diuréticos)

Para bem compreender o mecanismo da pressão arterial devem-se comparar o coração e os vasos sanguíneos a um sistema de encanamento, no qual aquele órgão seria uma bomba e os vasos seriam os canos do sistema.

Podemos então entender desde logo que o sangue acha-se contido nas artérias com certa pressão, que se denomina pressão sanguínea ou pressão arterial.

Esta depende de dois fatores: do impulso ventricular e da resistência que as arteríolas oferecem na periferia. Não tem um valor fixo, imutável: pelo contrário, oscila permanentemente entre um valor máximo e um mínimo. O primeiro deve-se à entrada na árvore arterial durante a sístole ventricular (pressão máxima ou sistólica) e o segundo ao esvaziamento do conteúdo da árvore arterial para a rede capilar durante a diástole dos ventrículos (pressão mínima ou diastólica).

A pressão arterial normal em adultos varia de 10,5 a 14,5 mmHg para a máxima até 6 a 9 mm mercúrio para a mínima.

abacaxi – A monodieta desta fruta ajuda a baixar a pressão arterial.

amora – As folhas da amoreira, em infusão, têm a propriedade de baixar a pressão arterial: fazer infusão com 25 g das folhas em meio litro de água, deixando por 15 minutos. Tomar duas ou três xícaras por dia.

azeitona – As folhas da oliveira, em decocção, são úteis no tratamento de hipertensão arterial: ferver 25 g em meio litro de água e tomar várias vezes por dia.

frutas e verduras em geral – Foi constatado que os vegetarianos costumam ter pressão arterial mais baixa do que a população geral e que instituir regime vegetariano leva à baixa de pressão.

laranja

limão – No combate à hipertensão arterial pode-se recorrer, com resultados favoráveis, à dieta do limão". (Ver *Obesidade*, à página 73).

morango – Fruta com ação hipotensora.

pêra – Para ajudar a baixar a pressão arterial aconselha-se o amplo consumo desta fruta.

PROBLEMAS DE PRÓSTATA

Próstata é uma glândula do aparelho genital masculino, que envolve a parte inicial da uretra, na altura do colo da bexiga. Secreta um líquido espesso e esbranquiçado, o qual é um dos constituintes do esperma.

Nas pessoas acima de certa idade (em torno de cinqüenta anos) essa glândula costuma aumentar de tamanho (hipertrofia benigna da próstata), causando muitas vezes distúrbios como aumento da freqüência das micções, necessidade de urinar à noite, urgência imperiosa e súbita de urinar, sensação de não ter esvaziado completamente a bexiga após haver urinado. Seu tratamento em geral é cirúrgico.

Bem mais grave é a ocorrência de câncer de próstata, de longe o mais freqüente dos cânceres no sexo masculino. Seu prognóstico depende de um diagnóstico precoce e para isso é fundamental que todo homem, a partir de cinqüenta anos de idade, seja submetido periodicamente a exame médico que inclui toque prostático e determinação sanguínea do antígeno prostático específico (PSA), proteína secretada pela próstata que aumenta com o surgimento do câncer.

melancia – Fruta considerada útil em casos de doenças da próstata, por conter as substâncias genisteína e daidzeína.

pêra – Em casos de prostatite (inflamação da próstata) recomenda-se o amplo consumo desta fruta.

tomate – De acordo com estudos desenvolvidos pela Harvard Schol of Public Health e pela American Health Foundation, o tomate pode ajudar na prevenção de tumores do tubo digestivo e também, principalmente, da próstata. Essa ação parece ser relacionada a uma substância existente neste vegetal, chamada licopeno, um tipo de caroteno que dá ao tomate sua coloração vermelha, bem como funções e poderes antioxidantes.

PROBLEMAS DIGESTIVOS
(Ver também Flatulência; Úlceras Gástricas e Duodenais)

A disgestão efetua-se por meio de processos mecânicos e químicos. Inicia-se na boca com a mastigação dos alimentos, quando atua um fermento existente na saliva, a ptialina.

Ao passarem para o estômago os alimentos vão sofrer ação química do suco gástrico, produzido por este órgão. Para facilitar essa ação as paredes do estômago movimentam-se a fim de misturar eficazmente o bolo alimentar com o seu suco. Além desses movimentos ocorrem também os movimentos peristálticos, cuja função é o trânsito do conteúdo gástrico.

Já no intestino delgado, o quimo (conteúdo que o estômago lança no intestino) vai sofrer a ação de três sucos digestivos: intestinal ou entérico, pancreático e bile. Do ponto de vista mecânico distinguem-se nesse órgão três tipos de movimento: ondas peristálticas, segmentações rítmicas e movimentos pendulares.

A absorção dos alimentos efetua-se principalmente no intestino delgado. No intestino grosso a massa apenas perde água, que é absorvida, fazendo com que as fezes adquiram sua consistência característica.

abacate – As folhas do abacateiro, bem como os brotos da fruta, facilitam a digestão. O abacate maduro também possui esta propriedade, ainda que em menor grau.

abacaxi ou ananás – Possui acentuado poder digestivo graças a seu componente *bromelina.*

ameixa – Fruta digestiva. Esta ação é particularmente acentuada no *umeboshi.*

anis – Como digestivo recomenda-se ferver 5 g dos frutos em 100 ml de água por seis minutos e tomar duas xicrinhas ao dia.

babaco – Assim como o mamão esta fruta é rica em papaína, o que explica sua acentuada ação digestiva.

bacuri

cereja

fruta-de-burro – É considerada digestiva e estomacal.

groselha

laranja

maçã – Fruta dotada de ação digestiva: por conter pectina, age protegendo a mucosa do tubo digestivo. O tanino contido na casca da maçã lhe confere ação antipútrida além de agir como desodorante intestinal.

mamão – Graças à papaína (fermento solúvel encontrado sobretudo nas sementes desta fruta que atua energicamente na digestão das proteínas) o mamão tem ação digestiva e, em culinária, pode ser usado como amaciante de carnes (os índios já utilizavam as folhas do mamoeiro para envolver as carnes algumas horas antes de cozinhá-las, a fim de deixá-las tenras e macias).
É indicado em casos de gastrites, úlceras, flatulências, dispepsias fermentativas e putrefativas. Em certas perturbações digestivas pode-se recorrer à monodieta do mamão (uso exclusivo deste alimento, ingerido de preferência com as sementes) por alguns dias.
Com as folhas do mamoeiro prepara-se excelente chá digestivo, que pode ser ministrado também a crianças.

pêra

pêssego

PROBLEMAS ESTOMACAIS E GASTRITES
(Ver também Problemas Digestivos)

"Substâncias estomacais ou estomáquicos são substâncias boas para o estômago" (Aurélio B. H. Ferreira).

abricó-do-pará – A destilação de um macerado das flores desta planta produz bebida refrescante com ação estomacal.

banana – Segundo pesquisadores indianos esta fruta é eficaz contra problemas do estômago.

caqui – É considerada tônico estomacal.

cominho – Deixar os frutos desta planta em infusão por cinco minutos (2 g dos frutos em 100 ml de água). Tomar duas ou três xicrinhas ao dia.

fruta-de-burro – A fruta, aromática e de sabor picante, tem propriedades estomacais e digestivas.

fruta-do-conde – As folhas da árvore, em infusão, combatem os males do estômago.

fruta-pão – As sementes da fruta-pão, torradas ou cozidas, são tônicas para o estômago.

funcho – Esta planta possui acentuada e comprovada ação estomacal. Usam-se os frutos e as raízes: os primeiros em infusão (3 a 4 g em 100 ml de água, deixando repousar por 25 minutos). Quanto às raízes, ferver 4 g em 100 ml de água por oito minutos. Em ambos os casos tomar três xicrinhas ao dia.

goiaba-preta

grapefruit

groselha – Em casos de gastrite recomenda-se tomar diariamente 100 ml do suco fresco desta fruta.

jurubeba – O chá preparado com esta fruta é louvadíssimo no tratamento das moléstias do estômago e do fígado.

lima – É considerada excelente para tratamento de gastrites e de úlceras duodenais.

maçã – Em casos de gastrites e de úlceras duodenais costumam ser obtidos bons resultados com a "dieta de maçã": ingerir três a cinco maçãs ao dia, distribuídas em três a cinco refeições, por três a sete dias ou mais, de acordo com o caso (até duas ou três semanas). Após o segundo ou terceiro dia pode-se aumentar para até dez maçãs ao dia. Pode-se associar leite à "dieta da maçã".

manga – Tem ação digestiva e estomacal.

mangostão

tomate – A ingestão diária de 150 a 200 ml de suco de tomate ajuda a combater as gastrites.

zimbro – Os frutos do zimbro (as "bagas de zimbro") têm ação estomáquica.

PROBLEMAS GINECOLÓGICOS
(Ver também Corrimentos Vaginais – Vulvovaginites)

O aparelho genital feminino consta essencialmente de duas gônadas (glândulas sexuais femininas): os ovários, com aspecto e tamanho aproximado de amêndoas. Neles são formadas as células reprodutoras femininas, os gametas femininos, os óvulos, bem como produzidos hormônios femininos (esteróides).

Cada ovário liga-se ao útero por meio de um canal, a trompa de Falópio.

Do útero, órgão ímpar e mediano, destinado a acolher o feto, parte um canal, a vagina, que se abre para o exterior por meio da vulva.

limão – O "banho de limão" (Ver *Corrimentos Vaginais*, à página 39) é empregado com sucesso em numerosas afecções ginecológicas: vulvovaginites, ressecamento e destruição da mucosa vaginal (*kraurosis vulvas*), infecções na vagina e no colo do útero, numerosos problemas menstruais, inúmeras perturbações da menopausa.

PROBLEMAS MENSTRUAIS

Os ovários, em certa fase (em torno do 14º dia do ciclo menstrual), liberam o óvulo contido em seu interior: é a chamada ovulação. Uma vez liberado, ele estará apto a ser fecundado pela célula reprodutora masculina, o espermatozóide, o que irá resultar na produção do ovo, que provém, portanto, da união daquelas duas células: espermatozóide e óvulo.

Para que o óvulo assim formado possa desenvolver-se no útero, vindo a constituir um embrião e, posteriormente, o feto, há necessidade de este órgão – o útero – adaptar-se à eventual gravidez. Para isso sua mucosa se espessa, o que ocorre após a ovulação, por atividade de hormônios femininos.

Se, no entanto, o óvulo não for fecundado, as transformações ocorridas no útero terão sido desnecessárias e, então, cerca de catorze dias após a ovulação, ou seja, aproximadamente no 28º dia do ciclo, a mucosa uterina espessada é eliminada para o exterior juntamente com sangue, constituindo isto a menstruação.

A primeira menstruação da mulher é chamada menarca, após a qual costuma advir período de irregularidades menstruais, o qual pode durar de um a dois anos.

Denomina-se amenorréia a parada das menstruações. Pode decorrer de várias causas, inclusive a gravidez.

São chamadas de emenagogos as substâncias que favorecem a menstruação. As palavras vêm do grego: *emen* (mênstruo) mais *agogo* (condutor).

abacate – As folhas do abacateiro e os brotos do abacate, sob a forma de chá (por decocção ou por infusão), são reguladores dos processos menstruais.

abacaxi – Em casos de atraso menstrual aconselha-se o amplo consumo desta fruta.

De acordo com Phyllis Johnson, pesquisadora do Centro de Pesquisas em Nutrição Humana do Departamento Norte-Americano de Agricultura em Grand Forks, EUA, dietas pobres em manganês produziram aumento de 50% no fluxo menstrual.

Para prevenir perdas menstruais anormalmente intensas é recomendado o consumo de alimentos ricos nesse elemento, como é o caso do abacaxi (e também das nozes, dos cereais integrais, do feijão e do espinafre).

alcaravia – Para distúrbios menstruais, menstruações "difíceis" e atrasos menstruais, fazer infusão com os frutos desta planta (5 g em 100 ml de água, deixando repousar por meia hora) e tomar duas ou três xicrinhas ao dia.

cruá – Suas sementes são emenagogas.

limão – Numerosos problemas menstruais (menstruações ausentes, prolongadas demais, muito freqüentes, raras, excessivamente curtas) podem ser resolvidos com os "banhos de limão". (Ver *Corrimentos Vaginais*, à página 39.)

maracujá – Nas menstruações dolorosas fazer infusão com folhas e flores de maracujá: 15 g em meio litro de água, por 18 minutos. Tomar três xicrinhas ao dia.

melão – Esta fruta, principalmente sob a forma de monodieta, tem ação reguladora sobre os distúrbios menstruais.

zimbro – Para menstruações dolorosas e atrasos menstruais, fazer infusão com os frutos do zimbro (15 g em meio litro de água, por 16 minutos) e tomar três xicrinhas ao dia.

PROBLEMAS RELATIVOS AO SUOR

É o produto de secreção das glândulas sudoríparas, que se situam na camada profunda da pele, denominada derme ou córion (a camada mais superficial tem o nome de epiderme).

As glândulas sudoríparas são glândulas enroladas em novelo, em número total de aproximadamente 2 milhões, existentes na pele de toda a superfície corpórea, sobretudo na palma das mãos, nas plantas dos pés e axilas (nesta região, além de numerosas, são muito volumosas).

O suor é secretado e eliminado continuamente da superfície cutânea de um modo insensível: é a chamada *perspiração insensível*; quando sua produção aumenta a ponto de não poder ser removida prontamente pela evaporação, o suor aparece na pele sob a forma de gotículas, constituindo a *perspiração sensível*. A quantidade de suor secretada nas 24 horas varia bastante em função de uma série de fatores. Como valores médios podemos considerar de 500 a 600 ml.

Essa secreção é comparada a uma urina diluída e calcula-se que a pele íntegra, nesse particular, equivale a meio rim. O suor pode ser considerado uma solução fraca de cloreto de sódio em água, juntamente com uréia e pequenas quantidades de potássio, ácido láctico etc. Seu pH médio é de 5,65.

Os exercícios físicos, bem como as influências psíquicas (medo, angústia etc.), também aumentam a quantidade de suor excretada.

O suor, além de ser uma substância de excreção, semelhante à urina, ao evaporar-se absorve grande quantidade de calor, contribuindo grandemente, dessa maneira, para a regulação térmica do organismo.

caju – O suco de caju é considerado sudorífero.

zimbro – Os frutos do zimbro têm ação sudorífera.

PROBLEMAS VISUAIS

Normalmente a criança, ao nascer, tem uma acuidade visual correspondente a cerca de 10% daquela do adulto. Essa acuidade aumenta rapidamente depois do terceiro mês de vida, atingindo 50% no segundo ano. Entretanto, a função visual vai-se encontrar plenamente desenvolvida apenas por volta do oitavo ou do nono ano de vida.

A maioria das crianças de raça branca nasce com os olhos azulados, cor que poderá ou não mudar até os doze primeiros meses de vida. Nas de raça amarela e negra a pigmentação da íris é mais intensa e os olhos dessas crianças são classificados desde o nascimento como escuros.

Numerosas doenças podem acometer os olhos, tais como:

- Blefarites – Inflamações das pálpebras.
- Catarata – Consiste na opacificação do cristalino, estrutura normalmente transparente do olho.
- Conjuntivites – No recém-nascido contaminação bacteriana por ocasião do nascimento ou de origem química, devido à instilação de nitrato de prata nos olhos do recém-nascido. Em crianças maiores e em adultos, bactérias, vírus ou alergia são os responsáveis. Nas conjuntivi^es o branco do olho se torna vermelho e pode haver secreção purulenta.

- Erros de refração – Miopia, hipermetropia, astigmatismo.
- Estrabismo (Vesguice) – A criança deverá ser levada ao oftalmologista assim que a suspeita de estrabismo for considerada.
- Hemeralopia – Cegueira noturna, causada por carência de vitamina A.
- Lacrimejamento constante – No recém-nascido e em lactentes pode dever-se à obstrução do canal nasolacrimal, sendo às vezes necessária a desobstrução com sonda.
- Terçol ou Hordéolo – Abscesso, quase sempre de origem estafilocócica, das glândulas sebáceas dos cílios. Quando ocorrem repetidamente, podem ter como causa mau estado geral e nutricional.

açaí – Age no combate a numerosos problemas visuais.

buriti

framboesa – Contra blefarites (inflamações dos bordos palpebrais) é usada com bons resultados infusão de folhas de framboeseira (10 g em 100 ml de água, deixando repousar por vinte minutos). Usar em aplicações locais.

limão – O suco desta fruta, aplicado localmente, é indicado para combater inflamações dos olhos.

mamão

manga

noz – Para manchas nos brancos dos olhos pingar localmente óleo puro de nozes: duas ou três gotas ao dia.
Para inflamações nos olhos fazer lavagens locais com decocção de folhas de nogueira (6 g em 100 ml de água, deixando ferver por 15 minutos).

QUEIMADURAS

São lesões dos tecidos provocadas pelo calor ou por outros agentes físicos ou químicos.

Sua gravidade depende de dois fatores:

- Extensão da parte afetada: as queimaduras com acometimento de mais de 15% da superfície corpórea são consideradas graves e aquelas com mais de 60%, gravíssimas.
- Profundidade das lesões: as queimaduras de primeiro grau apresentam apenas avermelhamento da pele; as de segundo grau ocorrem com formação de bolhas e nas de terceiro grau há comprometimento total da pele, com necrose dos tecidos.

Os grandes queimados só podem ser tratados convenientemente em hospitais com recursos especializados.

azeitona – O óleo das azeitonas, isto é, o azeite de oliva, tem ação benéfica quando aplicado localmente em queimaduras. Uma receita: misturar 50 g de azeite com igual quantidade de vinho tinto e untar a região afetada.
Outra receita: misturar 50 g de azeite de oliva com uma clara de ovo e untar a região acometida.

banana – A parte interna (branca) da banana fresca é um ótimo cicatrizante. Pode ser aplicada sobre feridas, inflamações e queimaduras. Durante a Revolução Cubana, em 1959, os soldados amarravam cascas de banana sobre os ferimentos para estancar hemorragias e cicatrizá-los.
A polpa da banana é usada para tratar feridas profundas, úlceras e queimaduras de primeiro, segundo e terceiro graus. A técnica usada para casos de queimaduras foi introduzida pela enfermeira Irmã Maria do Carmo Cerqueira, no setor de pediatria do Hospital Jesus Nazareno, de Caruaru (Pernambuco), para tratar de crianças queimadas.

tomate – Em casos de queimaduras de sol obtêm-se bons resultados com aplicações locais de tomate.

urucum – Os frutos desta planta são empregados pelos nossos indígenas para pintar o corpo, não apenas com finalidade estética, mas também para protegê-lo contra os raios solares.

QUELÓIDES

São cicatrizes cutâneas muito exuberantes, com aspecto tumoral, formando elevações mais ou menos acentuadas. Ocorrem com maior freqüência na raça negra e causam, por vezes, problemas de ordem estética.

banana – É possível eliminar quelóides, conseqüentes a cirurgias ou a ferimentos, passando diariamente sobre eles a parte interna (branca) das cascas de bananas.

RACHADURAS, FISSURAS

(Ver também Cicatrizantes; Doenças de Pele)

São sulcos lineares, gretas ou lesões ulcerosas da pele ou mucosas, observadas principalmente nas mãos, nos lábios, nos cantos da boca, no ânus, nos mamilos das nutrizes e nas solas dos pés.

Por vezes muito dolorosas, podem provocar sério desconforto aos que as apresentam. As nutrizes com fissuras nos mamilos realizam, com freqüência, atos de verdadeiro heroísmo para amamentar seus filhos.

limão – Para rachaduras dos dedos dos pés, friccionar localmente com o suco desta fruta.

marmelo – Em rachaduras dos mamilos, fissuras da boca e do ânus, gretas em geral, emprega-se localmente infusão de sementes de marmelo: 20 g em 100 ml de água, deixando repousar por três horas.

RAQUITISMO
(Ver também Osteopenia; Dentes)

O raquitismo, ao contrário do que muitos imaginam, não é sinônimo de criança franzina, pouco desenvolvida, fraquinha.

O raquitismo, causado por uma carência de vitamina D, a qual fixa o cálcio no organismo, pode instalar-se em crianças gordas e robustas.

Seus sinais e sintomas são, habitualmente: retardo no fechamento da fontanela (moleira), pernas tortas, atraso na dentição, atraso no início da realização de atos motores (sentar-se, engatinhar, andar), cabeça volumosa, amolecimento da parte óssea do crânio (craniotabes), tórax alargado na base (tórax em sino), aumento do volume entre as partes óssea e cartilaginosa das costelas (determinando o chamado "rosário raquítico"), irritabilidade, problemas de sono, intranqüilidade.

amêndoa – Rica em cálcio e em fósforo, esta fruta é indicada no raquitismo e em descalcificação.

REJEIÇÃO (A Transplantes)

Os transplantes de órgãos costumam produzir reações pelas quais o organismo receptor se defende do enxerto proveniente de outro indivíduo.

Este fenômeno, conhecido como *rejeição*, ocorre por causa de reações imunológicas aos antígenos do doador e torna o órgão transplantado incapaz de exercer sua função. É um dos principais problemas que ocorrem nos transplantes.

grapefruit – O suco desta fruta aumenta a eficiência da ciclosporina, droga usada para diminuir a rejeição do organismo a órgãos transplantados.

Tal conclusão foi obtida por estudos efetuados por cientistas da Universidade da Flórida (EUA).
O estudo, publicado na conceituada revista médica *The Lancet*, acentua que uma das vantagens do uso desta fruta é a de não apresentar efeitos colaterais nocivos ao organismo. Além disso é de custo reduzido e de paladar agradável.

RETENÇÃO DE LÍQUIDOS

Em determinadas condições, particularmente em casos de doenças cardíacas e renais, pode haver retenção de líquidos no organismo, constituindo os edemas (inchaços). Nesses casos pode haver necessidade de aumentar a eliminação de urina por meio de diuréticos.

Dá-se o nome de diurético a qualquer substância que aumente a quantidade de urina eliminada.

abacate – As folhas do abacateiro e os brotos do abacate, em infusão ou decocção, têm propriedades diuréticas.

abacaxi ou ananás

ameixa

amora – As folhas da amoreira são diuréticas.

bacuri – Esta fruta, bem como a casca do bacurizeiro e a sua resina, tem ação diurética.

caimito

caju

camapu – As folhas desta planta, assim como o fruto verde, têm propriedades diuréticas.

cambucá

cambuci

caraguatá

carambola

cereja

figo

figo-da-índia – As folhas da figueira-da-índia, em decocção, têm efeito diurético.

framboesa – A raiz da framboeseira, em decocção, é dotada de atividade diurética.

fruta-de-lobo

fruta-do-conde – As folhas desta árvore, utilizadas como chá, têm ação diurética.

jaca

jenipapo

laranja – Entre as inúmeras propriedades medicinais atribuídas a esta fruta, inclui-se a de ser diurética.

lechia

lima – Fruta reconhecida por suas intensas propriedades diuréticas.

limão

maçã

manga

melancia

melão

morango

nêspera

noz – As raízes da nogueira fornecem suco com propriedades diuréticas.

pêra – Esta fruta tem atividade diurética moderada.

pêssego

pitomba

romã

tomate

uva

zimbro

REUMATISMO; ARTRITE
(Ver também GOTA)

Reumatismo não é uma doença única: existem várias formas de reumatismo, sendo as mais freqüentes a febre reumática, a artrite reumatóide e as artrites infecciosas.

Ao contrário do que muitos imaginam, o reumatismo não é afecção exclusiva de pessoas de mais idade: ocorre também em crianças, inclusive na primeira infância.

É possível haver reumatismo em crianças, sem ocorrência de sintomas articulares. Nesses casos a suspeita é feita por meio de febre – geralmente baixa –, falta de crescimento adequado, palidez, vômitos, dores abdominais e perdas de sangue pelo nariz sem causa definida.

Em crianças o reumatismo pode, com freqüência, atacar o coração. O diagnóstico e o tratamento precoces permitem, na maioria dos casos, que as lesões cardíacas conseqüentes venham a ser mínimas ou mesmo inexistentes.

A coréia (dança de São Vito) é considerada manifestação reumática na maioria dos pacientes.

As artrites caracterizam-se por dor, vermelhidão, calor e inchaço em articulações; geralmente são causadas por inflamações ou por infecções, embora possam provir de causas externas (traumatismos).

As artroses são processos crônicos, dolorosos, deformantes, que se caracterizam por destruição da cartilagem articular e de seus constituintes ósseos. No caso das artroses a freqüência aumenta com a idade da pessoa.

abacate – O consumo prolongado desta fruta combate o reumatismo e o ácido úrico. Chás preparados com as folhas do abacateiro e com os brotos da fruta têm ação anti-reumática.

abacaxi – Esta fruta age favoravelmente em casos de reumatismo e de artritismo. A monodieta desta fruta é eficaz na prevenção de crises de gota e em casos de reumatismo crônico.

aroeira – As folhas, as flores, os frutos e a casca desta planta são utilizados contra o reumatismo.

azeitona – As folhas da oliveira, em decocção, são úteis no tratamento do reumatismo.

cereja – Fruta com propriedades anti-reumáticas.

fruta-do-conde – As folhas desta árvore, ingeridas sob a forma de chá, têm atividade anti-reumática.

graviola-do-norte – Chá preparado com as folhas desta árvore e com os brotos dos frutos tem ação anti-reumática.

groselha

grumixama – As folhas e as cascas da árvore são anti-reumáticas.

kiwi – É empregado no combate ao reumatismo e à gota.

laranja – Possui ação antiartrítica.

limão – Esta fruta tem propriedades antiartríticas e anti-reumáticas, atuando principalmente se for utilizado a dieta do limão" (ver *Obesidade*, à página 73).

maçã – Tanto a fruta quanto o vinagre feito com ela são dotados de poder anti-reumático.

maná – A casca do fruto desta planta, em infusão, tem propriedades anti-reumáticas e antigotosas.

melão

melão-de-são-caetano – É reputado como útil nas afecções reumáticas.

mexerica

morango

noz

pêssego

pinhão – O óleo de pinho, empregado em massagens locais, alivia dores musculares e reumáticas.

pitanga – O chá feito com as folhas da pitangueira é antirreumático e antigotoso.

pitomba

tomate – Tomar diariamente de 100 a 200 ml de suco de tomate fresco ajuda a combater o reumatismo e o artritismo.

zimbro – Fazer infusão com os frutos: 10 g em meio litro de água, deixando repousar por 25 minutos. Tomar três xicrinhas ao dia, longe das refeições.

ROUQUIDÃO

É manifestação de comprometimento da laringe devido a causas de diversas naturezas: infecções (bacterianas ou virais – como ocorre na gripe, nas laringites agudas, na difteria), inflamações (como a dos oradores, cantores, professores, locutores e outras pessoas que usam muito a voz, principalmente sem ter aprendido a impostá-la), alergias, paralisias dos músculos da laringe, tumores (em idosos roucos pensar sempre em câncer de laringe).

Nas rouquidões a voz torna-se alterada, mudando de timbre, de altura e de intensidade.

abacate – Chá preparado com folhas de abacateiro e/ou brotos do fruto é útil contra rouquidão.

ameixa – Assar no forno algumas ameixas-pretas sem caroço e, quando estiverem bem duras, socá-las no pilão até serem reduzidas a pó. Este, então, deve ser misturado com água morna e mel. Tomar o líquido ao longo do dia.

limão – Poder ser usado de várias maneiras:

a) Cozinhar 250 g de cenoura em meio litro de água até que o líquido fique viscoso. Acrescentar então mel e suco de limão. Tomar ao longo do dia.

b) Fazer infusão com as extremidades floridas de orégano (10 g em meio litro de água, em repouso por 18 minutos). Adicionar mel e suco de limão e tomar três xicrinhas ao dia.

c) Sabugueiro – Fazer infusão com as flores: 10 g em 200 ml de água, em repouso por vinte minutos. Tomar três xicrinhas por dia, com mel e suco de limão.

d) Fazer infusão com tomilho (a planta inteira): 15 g em meio litro de água, deixando repousar por 18 minutos. Tomar três xicrinhas ao dia, com mel e suco de limão.

SEBORRÉIA

Seborréia consiste numa secreção exageradamente aumentada das glândulas sebáceas da pele, o que confere um aspecto oleoso ao rosto e produz perturbações como crosta láctea dos bebês, espinhas (acne), determinados tipos de eczemas (eczemas seborréicos).

maçã – O vinagre de maçã, usado por via interna ou aplicado localmente, é de utilidade no combate à seborréia.

SOLUÇO

Soluços são contrações intensas, súbitas e involuntárias do diafragma, que provocam um ruído característico de aspiração.

Freqüentemente decorrem de uma irritação do nervo frênico – responsável por ativar o diafragma –, devido a um aumento de volume do estômago.

Em alguns casos a irritação do nervo frênico é produzida por tumor e o soluço persiste por dias, sendo necessária solução cirúrgica.

funcho – Fazer infusão com os frutos (8 g em 200 ml de água, deixando repousar por 25 minutos) e tomar às colheradas.

limão – Tomar uma colher (de sopa) do suco desta fruta.

TOSSE
(Ver também Asma; Bronquite; Coqueluche; Expectorantes; Gripe; Rouquidão)

Tosse é um sintoma encontradiço em várias moléstias, sendo muitas vezes bastante incômodo aos que a apresentam.

Existem vários tipos de tosse:

Tosse seca, que não é acompanhada de eliminação de secreção (catarro).

Pode ter como causa:

1) Irritação das vias aéreas superiores por:
   a) infecções (inflamações de garganta, sinusites);
   b) compressão por gânglios tuberculosos ou tumores;
2) Inflamação da pleura (pleuris);
3) Irritação provocada por corpos estranhos ou substâncias irritantes (gases, por exemplo, fumaça de cigarro) aspirados ou inalados etc.

Tosse encatarrada, produtiva ou *úmida*, que se acompanha de eliminação de secreção das vias aéreas; resulta de processos inflamatórios da traquéia e dos brônquios (traqueítes e bronquites), broncopneumonias, abscessos pulmonares etc.

Freqüentemente, nas infecções das vias aéreas superiores, faz-se referência à tosse encatarrada, com "peito cheio", sem que haja, no entanto, secreção nos brônquios; trata-se de secreção alta apenas, mas como a caixa torácica funciona como "caixa de ressonância" dá a impressão de que há secreção brônquica.

Tosse de cachorro, que é rouca, comparada à deste animal quando está engasgado; a impressão que se tem é, realmente, a de se ouvir um cachorro tossindo. Aparece nas afecções da laringe (laringite estridulosa, laringotraqueíte e laringotraqueobronquite).

Tosse quintosa, como a da coqueluche (tosse comprida) e da paracoqueluche. É seca, muito intensa, vem em acessos e freqüentemente é acompanhada de vômitos, perda de fôlego, ruído como de guincho (o *chant de choq* dos franceses), vermelhidão do rosto.

abacate – Chás preparados com as folhas do abacateiro e os brotos da fruta são úteis contra tosses, bronquite e rouquidão.

abacaxi – Cortar rodelas de abacaxi e/ou beterraba em rodelas bem finas, cobri-las com mel e deixá-las à noite ao relento. Ao longo do dia seguinte ir tomando o líquido que se formou, às colheradas. Eficaz particularmente na tosse da coqueluche (tosse comprida).

abio – Fruta indicada contra tosses e afecções em geral do aparelho respiratório.

ameixa – Para males do aparelho respiratório (tosse, gripe, rouquidão) recomenda-se assar no forno algumas ameixas-pretas sem caroço e, quando estiverem bem duras, passá-las no pilão até ficarem reduzidas a pó. Este então é misturado com água morna e mel; toma-se o líquido ao longo do dia.

caju – Do tronco do cajueiro exsuda resina amarela e dura, eficaz contra tosses e males em geral do aparelho respiratório.

caqui – Fruta indicada em casos de tosse e moléstias em geral das vias respiratórias.

caraguatá – Com o suco desta fruta é produzido xarope muito empregado como expectorante e contra bronquite, asma, coqueluche e tosses em geral.

castanha – As folhas tenras do castanheiro, em infusão, combatem a bronquite, a coqueluche e tosses em geral.

coco-da-bahia – É ótimo remédio para tosses rebeldes: faz-se um orifício em coco verde e por aí se introduz mel, tapa-se o orifício e mergulha-se a fruta em banho-maria por meia hora. Toma-se o conteúdo ao longo do dia.

figo – Os figos secos, cozidos com água ou leite, têm ação expectorante e sedativa da tosse. Para tosse crônica recomenda-se ferver de seis a oito figos secos, bem triturados, em 200 ml de leite por 15 minutos e tomar uma xícara pela manhã e à noite, bem quente.

figo-da-índia – Fruta com propriedades expectorantes, antiasmáticas e sedativas da tosse: comer a fruta assada no forno.
Podem-se também descascar algumas frutas (usar faca e garfo por causa dos espinhos), cortá-las em rodelas bem finas, colocá-las numa vasilha, cobri-las com mel, deixando repousar por uma noite. Na manhã seguinte coar e tomar o caldo às colheradas, ao longo do dia.

goiaba – Fruta útil no combate às tosses e aos males do aparelho respiratório.

graviola-do-norte – As flores desta árvore e os brotos dos frutos são utilizados em preparação de chás com ação antitussígena.

jabuticaba-branca – É considerada eficaz contra tosse e problemas respiratórios.

jaca – Seu uso é recomendado contra tosses em geral.

laranja – O chá preparado com folhas de laranjeira tem ação antitussígena.

mamão – A infusão das flores do mamoeiro macho, misturadas com mel, dá bons resultados no combate às tosses em geral.

manga – A polpa desta fruta e também as folhas da mangueira, em xaropes com mel, são úteis contra a tosse.

marmelo – Fruta utilizada contra tosses e males em geral do aparelho respiratório.

murici – Tanto a fruta quanto o caule da planta são empregados contra bronquite e tosses em geral.

pinhão – Do pinheiro é obtida a terebentina, óleo-resina, usada medicinalmente como anti-séptico respiratório, útil em casos de tosses e problemas infecciosos das vias aéreas.

tâmara – O decocto desta fruta é ótimo expectorante e anti-tussígeno.

umari – Esta fruta, comida cozida ou em mingaus, fornece massa considerada peitoral e antitussígena.

TROMBOSE

É a formação de um ou mais coágulos (trombos) no interior do sistema circulatório: no coração ou, mais freqüentemente, em veias. Nestas as tromboses em geral se acompanham de processo inflamatório, constituindo as tromboflebites.

Uma complicação temível das tromboses são as embolias, que consistem no desprendimento dos trombos, os quais passam a ser *êmbolos*. Estes, circulando nos vasos sanguíneos, podem provocar graves problemas por vir a obstruir vasos importantes, acarretando parada da circulação na parte por eles irrigada (embolias pulmonares, cerebrais).

limão – Problemas de trombose beneficiam-se da "dieta do limão: no primeiro dia toma-se o suco de um limão-galego; no segundo dia o suco de dois limões; no terceiro dia o suco de três limões; e assim por diante até chegar ao décimo dia, com o suco de dez limões; no 11º dia, o suco de nove limões; no 12º o suco de oito limões etc., até encerrar o tratamento, com o suco de um limão, no 19º dia.

Nesse tratamento o suco deve ser tomado puro, ao menos uma hora antes da primeira refeição, em jejum. Crianças de até dez anos devem reduzir o tratamento para até, no máximo, cinco limões.

Para adultos, alguns autores preconizam a continuação do tratamento até chegar a 21 limões diários, para então iniciar a fase decrescente.

TUBERCULOSE

Tuberculose é uma doença infecto-contagiosa. Infecciosa por ser causada por um organismo vivo, o bacilo tuberculoso (*Mycobacterium tuberculosis*); contagiosa porque pode ser transmitida do doente ao são.

Praticamente, duas são as fontes de contágio do bacilo: o homem tuberculoso e o gado bovino tuberculoso. Na maioria dos casos, o contágio se dá a partir de um indivíduo tuberculoso, por intermédio do escarro com bacilos. Em nosso meio a infecção a partir do animal é rara, apesar da existência de grande porcentagem de vacas tuberculosas. Este fato se deve à pasteurização do leite, a qual destrói o bacilo.

No caso do escarro, gotículas de secreção com bacilos podem flutuar no ar e ser aspiradas por outro indivíduo. Outras vezes o escarro lançado ao chão é ressecado e uma poeira rica em bacilos pode ser mobilizada e aspirada pelos indivíduos que permanecem nesse ambiente.

É possível a infecção por outros meios, tais como o contato direto com objetos ou órgãos tuberculosos. Sua importância prática é pequena.

O órgão preferencial para a localização do bacilo tuberculoso é o pulmão. Entretanto, outros podem ser atingidos. Destes, os mais importantes são os gânglios linfáticos, especialmente os do pescoço, dando a chamada adenopatia tuberculosa ou escrófula. Além destes, o sistema nervoso (ocasionando a meningoencefalite tuberculosa), os rins e os ossos também são atingidos com freqüência, bem como os órgãos genitais, a laringe e os intestinos.

A tuberculose nem sempre é contagiosa. A dos órgãos internos que não se comunicam com o meio exterior, tais como a tuberculose ganglionar, óssea, das meninges, não é contagiante. Mesmo a tuberculose pulmonar nas suas formas iniciais não oferece risco de contágio.

banana – A seiva do "tronco" da bananeira age no combate à bronquite e à tuberculose pulmonar.

TUMORES
(Ver também Câncer)

Tumores ou neoplasias são processos patológicos caracterizados por proliferação exagerada de células. Dividem-se em benignos e malignos ou cânceres.

Os tumores benignos ou neoplasias benignas são bem delimitados, sem raízes que se introduzem nos tecidos vizinhos. As células que os compõem não têm tendência a cair na circulação, provocando disseminações a distância (as chamadas *metástases*).

Os tumores malignos, neoplasias malignas ou cânceres são mal delimitados, com tendência a atingir os tecidos vizinhos por meio de suas raízes, que neles se infiltram. Além disso as células desses tumores, ou seja, as células cancerosas, têm tendência a cair na circulação e produzir disseminações a distância: as temíveis *metástases*.

kiwi – Esta fruta é usada no combate a vários tumores.

mexerica – É utilizada no tratamento de várias neoplasias.

ÚLCERAS GÁSTRICAS E DUODENAIS

São erosões das paredes do estômago do duodeno, acompanhadas de acentuada reação conjuntiva.

Embora suas causas não sejam totalmente estabelecidas, são bem conhecidas, em sua gênese, influências de fatores psíquicos (ansiedade, angústia, medo), bem como de um germe, o *Helycobacter pilori* e de determinados medicamentos (aspirina, corticosteróides etc.)

As úlceras gástricas, ou seja, as do estômago, têm tendência a se malignizar, isto é, de se transformar em câncer, o que não costuma acontecer com as duodenais. Estas apresentam surtos dolorosos do tipo "dói-come-passa": a dor aparece antes de comer e é aliviada pela ingestão de alimentos.

abacate – Sua monodieta é empregada no tratamento de úlceras gástricas e duodenais.

amêndoa – O leite de amêndoas age favoravelmente contra úlceras gástricas e duodenais. As amêndoas, bem mastigadas, têm o mesmo efeito.

azeitona – Tomar uma colher (de sobremesa) de azeite de oliva extravirgem antes das refeições.

figo – Esta fruta, cozida com leite, é empregada contra úlceras gástricas.

goiaba – É indicada no tratamento de úlceras gástricas.

maçã – Para tratamento de gastrites e úlceras do duodeno recomenda-se tomar diariamente de 100 a 150 ml de suco de maçã.

mamão – Graças à sua ação sedativa sobre o aparelho digestivo, esta fruta é recomendada em casos de gastrites e de úlceras.

UREMIA

Uréia é uma substância produzida principalmente pelo fígado, a partir de proteínas. É eliminada em sua maior parte pelos rins.

Quando estes não funcionam normalmente a taxa de uréia vai-se elevando no organismo, constituindo a chamada uremia ou hiperazotemia, encontrada portanto nas insuficiências renais, bem como em descompensações cardíacas.

tomate – Tomar diariamente de 150 a 200 ml de suco fresco de tomates maduros.

URTICÁRIA

É uma manifestação alérgica constituída por nódulos ou placas vermelhas habitualmente muito pruriginosas. Estas podem atingir grandes dimensões, constituindo as urticárias gigantes.

A urticária tem esse nome por ser uma dermatose semelhante à queimadura por urtiga (*urtica*, em latim).

limão – Friccionar levemente o local atingido com esta fruta.

VARIZES

São dilatações nas veias, decorrentes de dificuldade na circulação de retorno: nas artérias a circulação sanguínea se faz de maneira ativa, do coração para a periferia, por meio de contrações desses vasos; já nas veias, a circulação de retorno, ou seja, da periferia de volta ao coração, é feita de forma passiva e uma dificuldade nessa circulação pode acarretar a presença de varizes.

Estas são mais comuns nos membros inferiores (embora possam existir em vários outros locais do organismo) e costumam aparecer com maior freqüência em pessoas que permanecem muito tempo de pé e paradas: barbeiros, soldados, dentistas.

No esôfago as varizes são decorrentes de hipertensão do sistema venoso portal, que ocorre principalmente nos cirróticos. Por vezes se rompem, podendo ocasionar graves hemorragias.

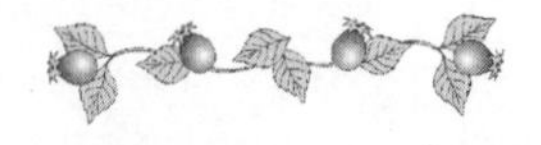

grapefruit – Tomar o suco de uma *grapefruit* madura antes de cada refeição.

limão – Tomar diariamente 100 ml de suco de limão, misturando com água e mel.

maçã – O vinagre de maçã, tomado por via oral ou usado em aplicações tópicas, tem-se mostrado útil no combate às varizes.

VERMES

(Ver Parasitas Intestinais)

VERRUGAS

São lesões elevadas da pele, com superfícies ásperas e secas. São sempre produzidas por vírus.

Existem muitos tipos de verruga: podem-se apresentar sob a forma de formações planas, na face e nas mãos; nas regiões úmidas, principalmente ao redor dos genitais e do ânus, podem ter desenvolvimento exuberante; na planta dos pés constituem os chamados olhos-de-peixe, muito dolorosos.

A causa é única: são sempre produzidas por vírus.

Seu curso clínico varia muito, podendo haver uma única ou o aparecimento de várias lesões satélites, talvez devido ao hábito de coçá-las. Às vezes as verrugas desaparecem espontaneamente; outras podem permanecer por muito tempo.

São contagiosas e é freqüente a infecção de vários membros de uma família.

banana – Aplicar sobre as verrugas a parte interna (branca) da casca da banana, em particular da banana-maçã.

caju – O suco de castanhas de caju frescas é muito eficaz na remoção de calos e de verrugas.

figo – Aplicar localmente o suco leitoso das folhas e dos ramos da figueira.

mamão – O leite que sai do mamão, aplicado localmente, age no sentido de remover verrugas e calos.

tomate – O suco de tomate, aplicado topicamente à noite em calos e verrugas, é eficaz para sua remoção.

VERTIGENS
(Desmaios; Lipotimias; Tonturas)

Vertigem é um estado mórbido no qual a pessoa tem a sensação de que tudo está girando ao seu redor ou mesmo que ela própria está girando ao redor de tudo. Essa sensação muitas vezes é acompanhada de náuseas e/ou vômitos, bem como de distúrbios de equilíbrio que podem causar quedas.

As causas das vertigens são muito variadas: neurológicas, circulatórias, emocionais, afecções do ouvido interno (labirinto), intoxicações (medicamentosas, alimentares).

maracujá – Nas vertigens de origem nervosa tomar infusão feita com as folhas e as flores dessa planta: 18 g em meio litro de água, deixando repousar por vinte minutos. Tomar três xicrinhas ao dia.

VESÍCULA BILIAR, Problemas de
(Ver também Cálculos)

O fígado, observado pela face inferior, apresenta quatro lobos: direito, esquerdo, caudado e quadrado. Ao lado deste último existe uma depressão: a fossa da vesícula, na qual se acha aderido um saco alongado, em forma de pêra: a vesícula biliar.

Da vesícula parte um canal chamado cístico, que se une a outro canal, proveniente do fígado: o canal hepático.

Da união desses dois canais: cístico e hepático, resulta outro, denominado colédoco, que se abre no duodeno.

Neste órgão é lançado, durante os períodos digestivos, o suco produzido pelo fígado – a bile – que permanece armazenada na vesícula e nos canais biliares nos períodos interdigestivos.

Chama-se colecistite a inflamação aguda ou crônica da vesícula biliar.

abacate – As folhas do abacateiro e os brotos do fruto são estimulantes da vesícula biliar. O chá preparado com eles, por infusão ou por decocção, atua contra a "vesícula preguiçosa".

framboesa – Fruta de utilidade contra problemas do fígado e da vesícula biliar.

VÔMITOS

Vômitos são sintomas em que ocorrem em numerosas afecções não só do aparelho digestivo, como também de outros aparelhos.

No aparelho digestivo podem produzir vômitos as gastrites, as gastrenterites, os refluxos gastroesofágicos, a estenose hipertrófica do piloro, a atresia do esôfago etc.

Como vômitos provenientes de causas extradigestivas temos os de origem neurológica (tumores cerebrais, meningites), gravidez, intoxicações, cinetoses (produzidos por veículos em movimento), psicogênicos, por tosses intensas (como ocorre na coqueluche) etc.

Os vômitos profusos e incoercíveis podem levar à desidratação, exigindo por vezes reposição hidroeletrolítica por via endovenosa (aplicação de soro na veia).

cidra – Tomar o suco desta fruta pela manhã, em jejum.

endro – Nos vômitos de causa nervosa fazer infusão com os frutos do endro: 12 g em 200 ml de água, deixando por uma hora. Tomar três xicrinhas ao dia, longe das refeições.

funcho – Contra vômitos usar infusão feita com os frutos: 8 g em 200 ml de água, por 15 minutos. Tomar três xicrinhas ao dia.

jenipapo – Fruta com ação antiemética (contra vômitos).

limão – Contra náuseas e vômitos recomenda-se cheirar um limão cortado.

maracujá – Nos vômitos de causas nervosas fazer infusão com folhas e flores de maracujá: 6 g em 200 ml de água, deixando em repouso por 18 minutos. Tomar três xicrinhas ao dia.

TENSÃO E ANSIEDADE

(Ver Estresse)

PARTE II

AS FRUTAS E SEU CORPO

Veja a seguir como recorrer
às frutas para corrigir,
modificar e melhorar
partes do seu corpo

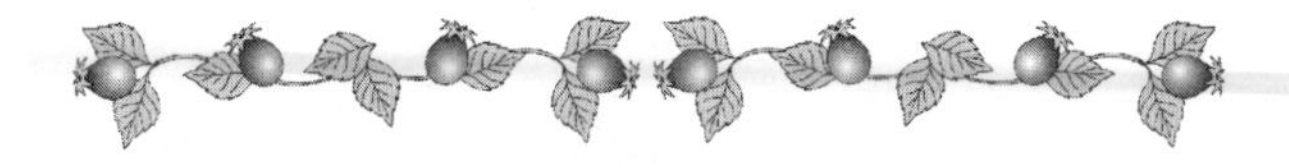

ACNE (Espinha)

Acne (espinha), afecção muito comum na adolescência, é causada inicialmente pela secreção de hormônios masculinos que estimulam a atividade das glândulas sebáceas, determinando o aparecimento de seborréia com posterior inflamação e formação de pus.

mamão – Esta fruta madura, esfregada sobre a pele, elimina manchas e espinhas.

AFRODISÍACOS
(Estimulantes Sexuais)

A palavra afrodisíaco vem do grego: *aphrodisiakós* e significa "excitante dos apetites sexuais".

A ação afrodisíaca da maioria dos alimentos é muito discutida, sendo atribuída geralmente a fatores psicológicos e não farmacológicos.

abacate – A polpa desta fruta é tida como afrodisíaca.

amendoim – É reputado como excelente afrodisíaco e excitante sexual masculino.

caju – A castanha de caju é considerada afrodisíaca e eficaz contra impotência.

durian – No seu local de origem, a Malásia, o durian é tido como afrodisíaco.

guaraná – Acredita-se que os frutos desta planta possuam propriedades afrodisíacas.

jaca

jenipapo

noz

pinhão

romã

ANTIINFLAMATÓRIOS
(Ver também Anti-sépticos)

Antiinflamatórios ou antiflogísticos são substâncias que combatem as inflamações.

Estas (chamadas também flogoses) são reações do organismo caracterizadas por dor, calor, rubor (vermelhidão), tumor (aumento de volume da parte atingida) e impotência funcional (impossibilidade total ou parcial de o órgão atingido realizar normalmente sua função). Podem ser produzidas por agentes bacterianos, físicos, químicos, alérgicos, traumáticos.

limão – O consumo desta fruta atua sobre as inflamações, dada sua atividade antiinflamatória.

ANTI-SÉPTICOS (DESINFETANTES)

São capazes de impedir, pela inativação ou destruição dos micróbios, a proliferação deles.

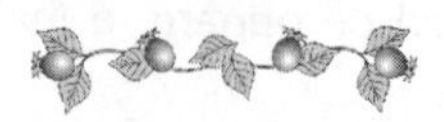

limão – Esta fruta é dotada de poder anti-séptico, desinfetante.

CABELOS

Um fio de cabelo consta de duas partes: a interna (raiz), em forma de bulbo, e a externa (haste), que é sua parte visível.

A cor dos cabelos resulta da atividade de células chamadas melanócitos: nos indivíduos morenos essas células elaboram o pigmento eumelanina; nos ruivos o pigmento por elas elaborado é a eritromelanina e nos louros a feomelanina.

O embranquecimento progressivo dos cabelos com a idade provém da redução gradual da atividade dos melanócitos.

damasco – Sua ingestão fortalece os cabelos.

noz – As cascas de nozes são empregadas para escurecer os cabelos brancos.
Balmé nos fornece a seguinte receita: ferver 50 g de cascas de nozes em 200 ml de água por 15 minutos; após ter esfriado, acrescentar 70 ml de álcool a 70° e 30 ml de água de colônia. Aplicar nos cabelos após terem sido lavados.

CALMANTE E SEDATIVOS
(Ver Estresse)

DEPURATIVOS

Alimentos depurativos são os que ajudam a depurar, ou seja, tornar puro ou mais puro, limpar, purificar o organismo.

abacaxi

laranja

limão

maçã

manga

melão

pêra

romã

uva

DIURÉTICOS

(Ver Aparelho Urinário)

EMOLIENTES

São substâncias que suavizam, amaciam, amolecem.

Do ponto de vista medicinal são utilizados para abrandar, suavizar inflamações.

araticum

cuité – A polpa das frutas desta árvore (chamadas cuias), quando maduras, é usada como emoliente, em cataplasmas.

ESTIMULANTES GERAIS

São substâncias que têm a propriedade de ativar ou excitar a ação dos diferentes sistemas orgânicos.

cacau – O fruto do cacaueiro é muito rico em alcalóides (cafeína, teobromina), estimulantes do sistema nervoso central.

guaraná – As sementes, as raízes, o caule, as folhas e flores desta planta contêm dois alcalóides: cafeína e teobromina, excitantes do sistema nervoso central.
As sementes torradas, moídas e reduzidas a pó, costumam ser utilizadas com muito sucesso como estimulantes em ocasiões nas quais se deseja manter-se desperto, em vigília, sem dormir.

zimbro – Os frutos desta planta, conhecidos como "as bagas de zimbro", têm ação estimulante geral.

FLUIDIFICANTES DO SANGUE
(Ou para "afinar" o sangue)

A densidade do sangue depende da concentração dos glóbulos vermelhos, sendo por isso maior no homem (1.057) que na mulher (1.053). A consistência do sangue é viscosa.

Existem circunstâncias em que essa viscosidade se acentua, sendo necessário fluidificá-lo, isto é, "afinar o sangue".

groselha – Esta fruta tem ação fluidificante sanguínea.

GRAVIDEZ

A gestante deve tomar uma série de cuidados visando preservar a saúde do novo ser que se desenvolve em seu interior: alimentação constituída essencialmente por produtos naturais e integrais, isentos na medida do possível de agrotóxicos, corantes artificiais, aditivos desnecessários, alimentos industrializados. Tóxicos, mesmo os legalmente aceitos como fumo e álcool, não devem ser usados. Prática controlada de exercícios físicos é recomendada, bem como atenção ao bem-estar psíquico.

amêndoa – Comer uma dúzia desta fruta diariamente, com figos e mel.

tâmara – Consumir amplamente esta fruta durante a gravidez.

LACTOGÊNICOS
(Para aumentar a produção de leite materno)

O leite materno é, sem dúvida, o alimento mais adequado à criança.

Do ponto de vista psicológico está amplamente demonstrado que crianças alimentadas no seio materno tendem a apresentar maior equilíbrio psíquico e desenvolvimento emocional mais satisfatório.

Quanto às possibilidades de contaminação, adulteração e deterioração, ele apresenta vantagens evidentes sobre qualquer outro leite, uma vez que o alimento verte diretamente da fonte produtora.

A anemia e o raquitismo, em crianças alimentadas no seio, são muito menos freqüentes do que naquelas que não o são.

O desenvolvimento cerebral nas crianças que tomam leite materno costuma ser melhor do que nas outras.

Sob o aspecto imunológico a situação do leite materno é de ampla e indiscutível superioridade, pois apresenta grande número de substâncias de defesa, de agentes imunizantes.

Até mesmo problemas de fala podem ser evitados com a amamentação nos seios: sugando-os a criança usa o céu da boca, exercitando assim a musculatura dessa região.

amêndoa – O leite de amêndoa favorece a lactação.

butiá – Os frutos desta palmeira aumentam a produção de leite.

castanha

castanha-do-pará

funcho – Fazer infusão com os frutos: 20 g em meio litro de água, deixando repousar por 25 minutos. Tomar quatro xicrinhas ao dia.
Podem-se também utilizar as raízes: decocção de 20 g em meio litro de água, deixando ferver por seis minutos. Tomar três xícaras ao dia.

manga

noz

MAU-OLHADO

Acreditam muitos que as pessoas podem vir a ter má sorte, azar, todo tipo de reviravoltas e urucubacas na vida, por terem sido olhadas maldosamente por indivíduos que possuem poder de produzir tais dissabores, o famoso "mau-olhado".

avelã – Diz-se que esta fruta afugenta os maus espíritos, protegendo contra o mau-olhado.

PROTETORES SOLARES

Toda energia solar é emitida sob a forma de irradiação luminosa, que pode ser transformada em calor (utilizado, por exemplo, para aquecimento da água), aquecimento e climatização de locais, bem como convertida em energia mecânica ou em eletricidade.

Os raios solares, todavia, incidindo excessivamente sobre a pele, principalmente em determinados horários – entre 10 e 17 horas –

podem provocar queimaduras, seu envelhecimento precoce, ressecamento e até mesmo câncer.

urucum – A bixina, um dos pigmentos contidos no urucum, protege a pele contra a ação dos raios ultravioleta do Sol e contra a absorção do calor solar. Nossos indígenas ainda o utilizam muito não apenas para pintar o corpo, com finalidade estética, mas também para protegê-lo contra os raios solares.

PURGANTES

São substâncias que causam forte evacuação intestinal. O termo laxante geralmente é utilizado para designar substâncias que causam evacuação intestinal de forma mais branda.

amora – A casca da amoreira tem ação purgativa.

aroeira – As folhas, as flores e os frutos desta planta têm ação purgativa.

bucha-de-purga – As raízes desta trepadeira assim como os frutos, quando verdes, são purgativos.

cabaça – A polpa desta fruta é altamente purgativa.

cagaiteira – Esta fruta tem uma propriedade curiosa: ingerida parcimoniosamente apresenta ação antidiarréica; ao contrário, se consumida em grande quantidade, passa a produzir diarréia.

capuchinha – Os frutos da capuchinha, secos e reduzidos a pó, têm bom efeito purgativo (meio grama de pó em meio copo de água).

cuité – A polpa do fruto verde desta árvore (chamado cuia) tem ação purgativa.

espinafre-da-guiana – O suco da raiz e dos frutos deste arbusto é purgativo.

fruta-do-conde – As raízes desta árvore são altamente purgativas.

groselha-da-índia – As raízes da planta e as sementes são purgativas.

SUDORÍFEROS
(Suadouros – que fazem suar)

caju – O suco de caju é considerado sudorífero.

zimbro – Os frutos do zimbro têm ação sudorífera.

TÔNICOS
(Fortificantes; Reconstituintes; Vitalizantes)

Substâncias tônicas são aquelas que dão energia, revigoram, fortificam, reconstituem as forças vitais do organismo.

Têm indicação em casos de cansaço fácil, astenia, fraqueza orgânica.

amêndoa

amendoim

cajá – O decocto da casca desta árvore tem ação tônica.

caju – As cascas do cajueiro, cozidas, têm ação tonificante.

castanha-do-pará – É tônico de alto valor, indicado aos desnutridos, débeis, anêmicos e desmineralizados.

groselha

maçã – Do tronco desta árvore exsuda suco de sabor delicado, com ação tônica.

morango – É bom tônico mineralizante, indicado nas convalescenças.

noz – Fruta com ação tônica geral e excelente poder revigorante.

pêra – Consumir amplamente esta fruta, que possui ação tônica geral.

pinhão

tâmara

uva

TÔNICOS DO SISTEMA NERVOSO

O sistema nervoso divide-se em central (SNC) e periférico.

O primeiro compreende o encéfalo (situado no interior da caixa craniana), do qual faz parte o cérebro, e a medula espinhal (situada no interior da coluna vertebral, no canal vertebral).

O sistema nervoso periférico é constituído pelos nervos que se dividem em cranianos e espinhais.

Os primeiros, em doze pares, têm origem no encéfalo.

Os espinhais, na medula.

Ambos os sistemas podem sofrer afecções que os debilitam.

Os sintomas resultantes no sistema central são: perda de memória, dificuldade de raciocínio e de compreensão, cansaço intelectual, dificuldade para falar.

Quando o sistema nervoso periférico é acometido, os sintomas podem se manifestar como: paralisias, formigamentos, alterações de sensibilidade ao toque, calor, frio, nevralgias, "adormecimentos" de determinadas áreas do corpo.

abacaxi

ameixa – Eficaz em casos de debilidade cerebral.

amêndoa

avelã

caju – É considerado bom para a memória.

castanha-do-pará

maçã – O amplo consumo melhora o cansaço intelectual.

mamão – As raízes do mamoeiro cozidas são recomendadas aos nervos.

noz – Tônico para o cérebro e os nervos.

pêra – Igual à maçã.

TONIFICANTES DOS DENTES

O dente é formado de uma porção encravada nos maxilares (*raiz*) e de uma porção livre (*coroa*). Entre ambas existe uma pequena porção estreitada denominada colo.

Os primeiros dentes da criança irrompem em torno de sete meses de idade, aparecendo os inferiores geralmente mais cedo que os superiores. A dentição de leite completa-se em torno de trinta meses de idade, época em que a criança apresenta vinte dentes.

Em torno de seis anos de idade tem início a segunda dentição, a definitiva, constituída por 32 dentes.

Em raras ocasiões a criança ao nascer pode apresentar dentes.

damasco – O consumo desta fruta age fortalecendo os dentes.

UNHAS (Fortificantes)
(Ver também Panarício)

A unha cresce cerca de um décimo de milímetro por dia e leva em torno de seis meses para se renovar completamente.

damasco – Sua ingestão fortalece as unhas e os cabelos.

PARTE III

AS FRUTAS E SEUS BENEFÍCIOS

Aqui você encontrará as frutas,
em ordem alfabética, seguidas
da relação de áreas sobre
as quais podem atuar

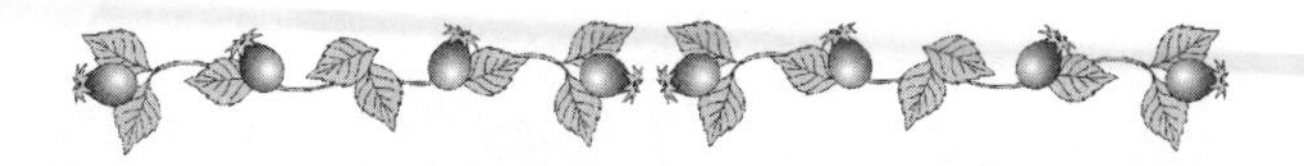

ABACATE

Ácido úrico, redutores do
Afrodisíacos
Artritismo (Ver Reumatismo)
Bronquite
Cabelos, queda dos; fortalecimento
Cálculos (Pedras, areias)
Caspa. Seborréia. Crosta láctea
Colesterol
Crosta láctea
Diarréia
Digestivos, problemas
Diuréticos
Dor de cabeça
Eczema
Flatulência
Gota
Menstruação
Parasitas intestinais
Pele
Reumatismo, Artrite
Rouquidão
Seborréia
Tosse
Úlceras gástricas e duodenais
Vesícula biliar

ABACAXI (ou Ananás)

Antiácidos
Aparelho urinário
Artrite (Ver Reumatismo)
Bronquite
Cálculos (Pedras; areias)
Depurativos
Digestivos, problemas
Diuréticos
Gota

Menstruação
Obesidade
Osteopenia
Osteoporose
Pressão arterial
Reumatismo
Tônicos do sistema nervoso
Tosse

ABIO

Bronquite
Diarréia
Febre
Tosse

ABRICÓ-DO-MATO

Diarréia
Febre

ABRICÓ-DO-PARÁ

Bicho-de-pé
Estomacais, problemas

AÇAÍ

Olhos (Ver Problemas visuais)

ACEROLA

Anemias
Gripe e resfriado

ALCARAVIA

Problemas menstruais

ALFARROBA

Prisão de ventre

AMEIXA

Bronquite
Cólicas
Digestivos, problemas
Diuréticos
Dor de cabeça
Gripe e resfriado
Nevralgia
Prisão de ventre
Rouquidão
Tônicos do sistema nervoso
Tosse

AMEIXA-DA-TERRA

Prisão de ventre

AMEIXA-AMARELA (Nêspera)

Boca, doenças da
Diarréia
Diuréticos
Hemorragia

AMÊNDOA

Aparelho circulatório (Ver Coração)

Coração
Descalcificação
Eczema
Gravidez
Leite, aumentar a produção de
Pele
Prisão de ventre
Raquitismo (Ver Descalcificação)
Sistema nervoso, tônicos dos
Tônicos
Úlceras gástricas e duodenais

AMENDOIM

Afrodisíacos
Tônicos

AMORA

Boca, doenças da
Diuréticos
Garganta
Hemorragias
Pâncreas
Parasitas intestinais
Pressão arterial
Prisão de ventre
Purgantes

ANIS

Cistite
Cólicas
Digestivos, problemas
Flatulência

ARAÇÁ

Diarréia
Hemorragias

ARATICUM

Emolientes
Parasitas intestinais

ARECA

Calmante e sedativos
Insônia

AROEIRA

Aparelho urinário
Artrite (Ver Reumatismo)
Purgantes
Reumatismo

AVELÃ

Aparelho circulatório (Ver Coração)
Cabelos, queda dos; fortalecimento
Coração
Feridas e ferimentos
Mau-olhado
Prisão de ventre
Tônicos do sistema nervoso
Úlceras

AZEITONA

Abscessos
Aparelho urinário

Arteriosclerose. Aterosclerose
Artrite (Ver Reumatismo)
Boca, doenças da
Bronquite
Cálculos (Pedras, areias)
Calos
Colesterol
Diabetes
Diarréia
Dor de ouvido
Expectorantes
Febre
Flebite
Furúnculos (Ver Abscessos)
Panarício
Pressão arterial
Prisão de ventre
Queimaduras
Reumatismo
Úlceras gástricas e duodenais

BABACO

Digestivos, problemas

BACUPARI

Aparelho urinário

BACURI

Cicatrizantes
Digestivos, problemas
Diuréticos

BANANA

Bronquite
Diarréia
Estomacais, problemas
Feridas
Ferimentos (Ver Feridas)
Icterícia
Prisão de ventre
Queimaduras
Quelóides
Tuberculose
Úlceras (Ver Feridas)
Verrugas

BAOBÁ

Diarréia

BUCHA-DE-PURGA

Purgantes

BUCHA-PAULISTA

Parasitas intestinais

BURANHÉM

Diarréia

BURITI

Visão (Ver Problemas visuais)

BUTIÁ

Leite, aumentar a produção de

CABAÇA

Purgantes

CABEÇA-DE-NEGRO

Diarréia

CABELUDA

Diarréia

CACAU

Estimulantes gerais

CAGAITEIRA

Diarréia
Purgantes

CAIMITO

Diuréticos

CAJÁ

Erisipela
Garganta
Tônicos

CAJU

Afrodisíacos
Boca, doenças da
Bronquite
Calos
Cicatrizantes
Diabetes
Diarréia
Diuréticos
Expectorantes
Febre
Garganta
Gripe e resfriado
Impotência sexual
Suor
Tônicos
Tônicos do sistema nervoso
Tosse
Verrugas

CAMAPU

Diuréticos
Fígado
Prisão de ventre

CAMBARÁ

Gripe e resfriado

CAMBUCÁ

Diarréia
Diuréticos

CAMBUCI

Cicatrizantes
Diarréia
Diuréticos

CAMBUÍ-PRETO

Diarréia

CAMBUÍ-VERDADEIRO

Boca, doenças da
Hemorragias

CAPUCHINHA

Purgantes

CAQUI

Anemias
Diarréia
Estomacais, problemas
Fígado
Prisão de ventre
Tosse

CARAGUATÁ

Bronquite
Coqueluche
Diuréticos
Expectorantes
Tosse
Tosse comprida (Ver Coqueluche)

CARAMBOLA

Diarréia
Diuréticos
Eczema
Febre

CASTANHA

Bronquite
Diarréia
Gota
Leite, aumentar a produção de
Tosse

CASTANHA-DO-MARANHÃO

Prisão de ventre

CASTANHA-DO-PARÁ

Aparelho circulatório (Ver Coração)
Câncer
Coração
Depressão
Distimia (Ver Mau humor)
Leite, aumentar a produção de
Mau humor
Tônicos
Tônicos do sistema nervoso

CEREJA

Ácido úrico, redutores do
Artrite (Ver Reumatismo)
Cálculos (Pedras, areias)
Digestivos

Diuréticos
Escarlatina
Gota
Obesidade
Prisão de ventre
Reumatismo

CIDRA

Apetite, estimulantes do
Calmante e sedativos
Vômitos

CÍTRICOS

Escaras

COCO (COCO-DA-BAHIA)

Desidratação
Diarréia
Magreza
Parasitas intestinais
Tosse

COENTRO

Apetite, estimulantes do
Flatulência
Gases, excesso de (Ver Flatulência)

COMINHO

Estomacais, problemas

CRUÁ

Emenagogo
Febre

CUITÉ

Emolientes
Expectorantes
Febre
Purgantes

CUTITIRIBÁ

Diarréia
Expectorantes

DAMASCO

Anemias
Cabelos, queda dos; fortalecimento
Dentes
Fígado
Garganta
Unhas

DURIAN

Afrodisíacos

ENDRO

Enxaqueca
Vômitos

ESPINAFRE-DA-GUIANA

Purgantes

FAIA

Apetite, estimulantes do
Colesterol

FIGO

Boca, doenças da
Bronquite
Cálculos (Areias, pedras)
Calos
Diarréia
Diuréticos
Expectorantes
Garganta
Gripe e resfriado
Hemorróidas
Magreza
Parasitas intestinais
Prisão de ventre
Resfriado (Ver Gripe)
Tosse
Úlceras gástricas e duodenais
Verrugas

FIGO-DA-ÍNDIA

Aparelho urinário
Cistite
Coqueluche (Ver Tosse comprida)
Diarréia
Diuréticos
Expectorantes
Tosse

FRAMBOESA

Boca, doenças da
Cólicas
Corrimentos vaginais
Diarréia
Diuréticos
Feridas
Ferimentos (Ver Feridas)
Fígado
Garganta
Náuseas
Olhos
Prisão de ventre
Úlceras (Ver Feridas)
Vesícula biliar
Visão (Ver Problemas visuais)
Vulvovaginites (Ver Corrimentos vaginais)

FRUTAS (e VERDURAS) EM GERAL

Acidente vascular cerebral
Derrame cerebral (Ver Acidente vascular cerebral)
Pressão arterial

FRUTA-DE-BURRO

Digestivos, problemas
Estomacais, problemas
Febre
Parasitas intestinais

FRUTA-DE-LOBO

Calmante e sedativos
Diuréticos

FRUTA-DO-CONDE (PINHA)

Artrite (Ver Reumatismo)
Cicatrizantes
Diuréticos
Estomacais, problemas
Prisão de ventre
Reumatismo

FRUTA-PÃO

Abscessos
Aparelho urinário
Dor de ouvido
Estomacais, problemas
Furúnculos (Ver Abscessos)
Prisão de ventre

FUNCHO

Caxumba
Cólicas
Estomacais, problemas
Leite, aumentar a produção de
Soluço
Vômitos

GINJA-DA-JAMAICA

Diarréia

GOIABA

Diarréia
Hemorragias
Tosse
Úlceras gástricas e duodenais

GOIABA-PRETA

Estomacais, problemas

GRAPEFRUIT (TORANJA)

Aparelho urinário
Apetite, estimulantes do
Colesterol
Estomacais, problemas
Rejeição (a transplantes)
Varizes

GRAVIOLA (GRAVIOLA-DO-NORTE)

Artrite (Ver Reumatismo)
Cólicas
Diabetes
Diarréia
Nevralgia
Reumatismo
Tosse

GROSELHA

Artrite (Ver Reumatismo)
Circulação sanguínea, ativadores da
Digestivos
Estomacais, problemas
Febre
Fígado
Osteopenia
Reumatismo
Sangue, fluidificantes do
Tônicos

GROSELHA-DA-ÍNDIA

Purgantes

GRUMIXAMA

Artrite (Ver Reumatismo)
Diarréia
Reumatismo

GUABIROBA

Cistite
Diarréia
Febre

GUAJIRU

Diarréia

GUAJURU

Diarréia

GUARANÁ

Afrodisíacos
Apetite, redutores do
Arteriosclerose
Aterosclerose (Ver Arteriosclerose)
Dor de cabeça
Estimulantes gerais
Febre
Gases, excesso de (Ver Flatulência)

INGÁ

Diarréia
Feridas
Prisão de ventre
Úlceras

JABUTICABA

Boca, doenças da
Diarréia
Hemorragias

JABUTICABA-BRANCA

Diarréia
Tosse

JACA

Afrodisíacos
Diuréticos
Tosse

JAMBOLÃO

Diabetes

JENIPAPO

Afrodisíacos
Anemias
Asma
Diarréia
Diuréticos
Fígado
Vômitos

JUJUBA

Prisão de ventre

JURUBEBA

Estomacais, problemas

JUTAÍ

Prisão de ventre

KIWI

Apetite, estimulantes do
Arteriosclerose
Artrite (Ver Reumatismo)
Aterosclerose (Ver Arteriosclerose)
Gota
Gripe
Prisão de ventre
Resfriado (Ver Gripe)
Reumatismo
Tumores

LARANJA

Ácido úrico, redutores do
Antiácido
Apetite, estimulantes do
Artrite (Ver Reumatismo)
Calmante e sedativos
Depurativos
Desintoxicantes
Digestivos, problemas
Diuréticos
Estomacais, problemas

Febre
Gota
Gripe
Insônia
Pressão arterial
Prisão de ventre
Resfriado (Ver Gripe)
Reumatismo
Tosse

LECHIA

Diuréticos
Febre
Fígado

LIMA (LIMA-DA-PÉRSIA, LIMA-DE-UMBIGO)

Calmante e sedativos
Diuréticos
Estomacais, problemas
Febre
Flatulência
Gases, excesso de (Ver Flatulência)
Pele
Prisão de ventre

LIMÃO

Antiácidos
Antiinflamatórios
Anti-sépticos e desinfetantes
Arteriosclerose
Artrite (Ver Reumatismo)
Boca, doenças da
Bronquite
Cálculos (Areias, pedras)

MAÇÃ

Anemias
Antiácidos
Apetite, estimulantes do
Arteriosclerose
Artrite (Ver Reumatismo)
Boca, doenças da
Cabelos, queda dos; fortalecimento
Cálculos (Areias, pedras)
Calmante e sedativos
Caspa
Cistite
Colesterol
Corrimentos vaginais (Ver Vulvovaginites)
Crosta láctea (Ver Caspa)
Depurativos
Diarréia
Digestivos, problemas
Diuréticos
Estomacais, problemas
Febre
Fígado
Gota
Gripe
Insônia
Obesidade
Prisão de ventre
Resfriado (Ver Gripe)
Reumatismo
Seborréia (Ver Caspa)
Tônicos
Tônicos do sistema nervoso
Úlceras gástricas e duodenais
Varizes

MACADÂMIA

Aparelho circulatório (Ver Coração)
Coração

MAMÃO

Acne
Apetite, estimulantes do
Cálculos (Areias, pedras)
Calos
Câncer
Colesterol
Colite
Digestivo, problemas
Espinhas (Ver Acne)
Fígado
Flatulência
Gases, excesso de (Ver Flatulência)
Gripe
Olhos
Parasitas intestinais
Pele
Prisão de ventre
Resfriado e gripe
Sistema nervos, tônicos dos
Tosse
Úlceras gástricas e duodenais
Verrugas
Visão (Ver Problemas visuais)

MANÁ

Artrite (Ver Reumatismo)
Gota
Reumatismo

MANGA

Bronquite
Cólicas
Contusões
Depurativos

Diarréia
Diuréticos
Estomacais, problemas
Leite, aumentar a produção de
Olhos
Parasitas intestinais
Tosse
Visão (Ver Problemas visuais)

MANGOSTÃO (MANGOSTIM)

Cistite
Diarréia
Estomacais, problemas
Parasitas intestinais

MARACUJÁ

Calmante e sedativos
Estresse
Febre
Insônia
Menopausa
Menstruação
Palpitações
Parasitas intestinais
Vertigens
Vômitos

MARMELO

Boca, doenças da
Corrimentos vaginais
Diarréia
Fissuras (Ver Rachaduras)
Garganta
Hemorróidas

Mamas
Rachaduras
Tosse
Vulvovaginites (Ver Corrimentos vaginais)

MELANCIA

Cistite
Diuréticos
Fígado
Prisão de ventre
Próstata

MELÃO

Antiácidos
Aparelho urinário
Artrite (Ver Reumatismo)
Aterosclerose (Ver Arteriosclerose)
Cálculos (Areias, pedras)
Calmante e sedativos
Circulação sanguínea, ativador da
Cistite
Depurativos
Diuréticos
Fígado
Gota
Hemorróidas
Menopausa
Menstruação
Parasitas intestinais
Pele
Prisão de ventre
Reumatismo

MELÃO-DE-SÃO-CAETANO

Artrite (Ver Reumatismo)
Prisão de ventre
Reumatismo

MEXERICA (TANGERINA)

Apetite, estimulantes do
Arteriosclerose
Artrite (Ver Reumatismo)
Cálculos (Areias, pedras)
Gota
Gripe e resfriado
Prisão de ventre
Reumatismo
Tumores

MORANGO

Ácido úrico, redutores do
Anemias
Antiácidos
Aparelho urinário
Artrite (Ver Reumatismo)
Asma
Boca, doenças da
Bronquite
Cálculos (Areias, pedras)
Cistite
Colesterol
Diarréia
Diuréticos
Fígado
Gota
Parasitas intestinais
Pressão arterial
Prisão de ventre

Reumatismo
Suor
Tônicos

MURICI

Bronquite
Febre
Tosse

NÊSPERA
(Ver Ameixa-amarela)

NOZ

Ácido úrico, redutores do
Afrodisíacos
Aparelho circulatório (Ver Coração)
Artrite (Ver Reumatismo)
Boca, doenças da
Cabelos, escurecer
Caxumba
Coração
Corrimentos vaginais
Diarréia
Diuréticos
Frieiras
Hemorragias
Leite, aumentar a produção de
Magreza
Malária ou maleita
Olhos (Ver Problemas visuais)
Parasitas intestinais
Prisão de ventre
Reumatismo
Sistema nervo, tônicos dos
Tônicos

Visão
Vulvovaginites (Ver Corrimentos vaginais)

NOZ-MOSCADA

Flatulência
Gases, excesso de

ORA-PRO-NÓBIS

Expectorantes

PAJURÁ-DA-MATA

Diarréia

PALMATÓRIA

Calmante e sedativos
Sedativo e calmante

PECÃ

Aparelho circulatório (Ver Coração)

PENTE-DE-MACACO

Diarréia

PÊRA

Aparelho urinário
Cálculos (Areias, pedras)
Circulação sanguínea, ativadores da
Depurativos

Digestivos
Diuréticos
Pressão arterial
Prisão de ventre
Próstata
Tônicos
Tônicos do sistema nervoso

PÊSSEGO

Apetite, estimulantes do
Artrite (Ver Reumatismo)
Calmante e sedativos
Coqueluche
Diabetes
Digestivos, problemas
Diuréticos
Gota
Prisão de ventre
Reumatismo
Tosse comprida (Ver Coqueluche)

PINHA
(Ver Fruta-do-conde)

PINHÃO

Afrodisíacos
Artrite (Ver Reumatismo)
Reumatismo
Tônicos
Tosse

PISTACHE

Aparelho circulatório (Ver Coração)
Coração

PITANGA

Artrite (Ver Reumatismo)
Diarréia
Febre
Gota
Reumatismo

PITOMBA

Artrite (Ver Reumatismo)
Diarréia
Diuréticos
Febre
Reumatismo

ROMÃ

Afrodisíacos
Apetite, estimulantes do
Boca, doenças da
Depurativos
Diarréia
Diuréticos
Enxaqueca
Febre
Garganta
Parasitas intestinais

SAPOTI

Apetite, estimulantes do
Cálculos (Areias, pedras)
Febre

SORVA-DA-EUROPA

Diarréia
Hemorróidas
Insônia

TÂMARA

Calmante e sedativos
Câncer
Cistite
Diarréia
Garganta
Gravidez
Tônicos
Tosse

TAMARINDO

Esquistossomose
Fígado
Parasitas intestinais
Prisão de ventre

TATAJUBA

Diarréia

TOMATE

Abscessos
Ácido úrico, redutores do
Artrite (Ver Reumatismo)
Cabelos, queda dos; fortalecimento
Calos
Câncer
Cistite

Colite
Diuréticos
Estomacais, problemas
Feridas
Furúnculos (Ver Abscessos)
Garganta
Gota
Gripe
Hemorróidas
Menopausa
Picadas de insetos
Prisão de ventre
Próstata
Resfriado (Ver Gripe)
Queimaduras
Reumatismo
Uremia
Verrugas

TUCUMÃ

Asma

UMARI

Parasitas intestinais
Tosse

UMEBOSHI (Ver Ameixa)

URUCUM

Picadas de insetos
Protetores solares
Queimaduras

UVA

Ácido úrico, redutores do
Antiácidos
Apetite, estimulantes do
Bronquite
Câncer
Colesterol
Depurativos
Desintoxicantes
Diuréticos
Fígado
Flatulência
Gases, excesso de (Ver Flatulência)
Obesidade
Prisão de ventre
Tônicos

UVA-DO-MAR

Febre

ZIMBRO

Apetite, estimulantes do
Artrite (Ver Reumatismo)
Cálculos (Areias, pedras)
Diuréticos
Enxaqueca
Estimulantes gerais
Estomacais, problemas
Gota
Mal hálito
Menstruação
Orquite
Reumatismo
Sudoríferos (Ver Suor)

PARTE IV

ÓRGÃOS E APARELHOS OU SISTEMAS SOBRE OS QUAIS AS FRUTAS ATUAM

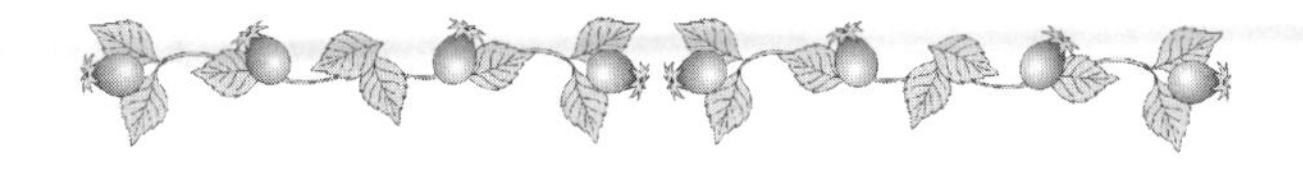

APARELHO CIRCULATÓRIO

APARELHO DIGESTIVO

APARELHO GENITAL

APARELHO RESPIRATÓRIO

APARELHO URINÁRIO

CABEÇA

OLHOS

OSTEOPENIA

OUVIDO

PELE

PÉS

SISTEMA NERVOSO

UNHAS

BIBLIOGRAFIA

"ACEROLA ou cereja-das-antilhas na alimentação humana". Pró-Reitoria de Atividades de Extensão, Departamento de Ciências Domésticas, Recife, Ministério da Educação e Cultura/Universidade Federal de Pernambuco, 1984.

"CURA pelo *óleo de girassol?*". *COMTAPS*, São Paulo, nº 6, 1991.

"LA LECHE y Los productos lacteos en la nutrición humana". *Estudios sobre Nutrición*, Roma, nº 27, 1972.

"A importância do consumo de acerola para a saúde humana em virtude do seu alto teor em vitamina C." Pró-Reitoria de Atividades de Extensão. Recife, Ministério da Educação e Cultura/Universidade Federal de Pernambuco.

ADRIEN, J. *A dietética.* Lisboa, Presença, 1981.

Alimentos de alto valor nutritivo e baixo custo. A experiência da dra. Clara T. Brandão. São Paulo, TAPS, 1991.

ALMEIDA, E. J. *Plantas medicinais brasileiras.* São Paulo, Hemus, 1993.

ARMON, P. J. "O uso do mel no tratamento das feridas infectadas". *Tropical Doctor,* 1980, 10, 91.

As frutas na medicina doméstica. São Paulo. Edições A Edificação do Lar.

As hortaliças na medicina doméstica. São Paulo, Edições A Edificação do Lar.

BACELLAR, L. *Sol de feira.* Editora Umberto Calderaro, 1973.

BALBACH, A. *As plantas curam.* São Paulo, Edições A Edificação do Lar.

BALMÉ, F. *Plantas medicinais.* São Paulo, Hemus, 1982.

BLANC, Camille. "Les propriétés médicales de la feuille de chou". *COMTAPS*, São Paulo, nº 11, 1993.

Boca feliz. Comer é bom e eu gosto. Rio de Janeiro, Fundação Bem-Te-Vi, 1989.

BONTEMPO, M. *Manual da medicina integral.* São Paulo, Best-Seller/Círculo do Livro, 1994.

BURKHARD, G. K. *Novos caminhos da alimentação.* São Paulo, CLR Balieiro, 1984.

CAMINHOÁ, J. M. Chá-preto e cogumelos. In: CRUZ, G. L. *Dicionário das plantas úteis do Brasil.* Rio de Janeiro, Civilização Brasileira, 1985.

CARIBÉ, J. CAMPOS, J. M. *Plantas que ajudam o homem.* São Paulo, Cultrix/Pensamento, 1991.

CARPER, J. *Alimentos: o melhor remédio para a boa saúde.* Rio de Janeiro, Campus, 1995.

CARVALHO, A. A. Caxumba In: *A criança: perguntas e respostas.* São Paulo, Cultrix/Editora da Universidade de São Paulo, 1971.

CARVALHO, C. A., Olhos. In: *A criança: perguntas e respostas.* São Paulo. Cultrix Editora da Universidade de São Paulo, 1971.

CASTRO, J. L. *Alimentação natural.* Lisboa, Europa-América.

CESAR, C. O tratamento da obesidade estruturado em terapêutica multiprofissional. *Pediatria moderna.* Vol. XXXVI, nº 3. Março 2000.

CHÁ-VERDE PODE AJUDAR A COMBATER O CÂNCER. *Folha de S. Paulo*, 5/6/97.

CHATONET, J. *As plantas medicinais – preparo e utilização.* São Paulo, Martins Fontes, 1983.

CORRÊA, M. P. *Dicionário das plantas úteis do Brasil e das exóticas cultivadas.* Seis volumes ilustrados. Ministério da Agricultura. Instituto Brasileiro de Desenvolvimento Florestal, 1984.

COSSERMELLI, W. Reumatismo. In: *A criança: perguntas e respostas.* São Paulo, Cultrix/Editora da Universidade de São Paulo, 1971.

CRANE, E. *O livro do mel.* São Paulo, Nobel, 1983.

CRAVO, A. B. *Frutas e ervas que curam. Panacéia vegetal.* São Paulo, Hemus.

CRUZ, C. L. *Dicionário das plantas úteis do Brasil.* Rio de Janeiro, Civilização Brasileira, 1985.

Curso de Botânica Aplicada à Medicina e à Alimentação. Lisboa, Centro Botânico Dietético, 1975.

DARRICOL, J. L. *Os cereais e a saúde.* Lisboa, Presença, 1980.

DROZ, C. "Von den wunderbaren Heilwirkungen des Kohlbottes". *COMTAPS*, São Paulo, nº 11, 1993.

ESTIVILL, E. BEJAR, S. de. *Nana, nenê – como resolver o problema da insônia de seu filho.* São Paulo, Martins Fontes, 2000.

FAGUNDES NETO, U. *et al.* "Água-de-coco. Variações de sua composição durante o processo de maturação". *Jornal de Pediatria*, vol. 65, pp. 17-21, 1989.

FERREIRA, A. B. H. *Novo Dicionário da Língua Portuguesa.* 2ª ed. Rio de Janeiro, Nova Fronteira, 1989.

FLEURY (Laboratório). *Manual de exames.* Laboratório Fleury S/C Ltda., São Paulo, 1990, 1996.

FRUTAS PODEM REDUZIR O RISCO DE DERRAME. *Folha da Tarde*, São Paulo, 12 – 1995.

FURLENMEIER. *Plantas curativas.* Suíça, Editorial Schwitter Zugí, 1984. (Tradução em espanhol por dr. Luis Carreras Matas.)

GENDES, R. *Plantas silvestres comestibles.* Barcelona, Editorial Blume, 1988.

GONSALVES, P. E. *Alimentos que curam.* 11ª edição. São Paulo, Ibrasa, 1999.

________. E. *Livro dos alimentos.* São Paulo, Ágora, 2001.

GRANDE ENCICLOPÉDIA DELTA LAROUSSE. Rio de Janeiro, Delta, 1971, 1998.

GUIA RURAL. "Ervas e temperos. 180 plantas medicinais e aromáticas". São Paulo, Abril, 1991.

GUIA RURAL. "250 culturas de A a Z". São Paulo, Abril, 1986.

HENDLER, S. S. *A enciclopédia de vitaminas e minerais*. Rio de Janeiro, Campus, 1994.

HIRCH, S. *Inhame*. 2ª ed. Rio de Janeiro, 1988.

HORVILLEUR, A. L. *Homéopathie pour mes enfants*. Hachette et Edi, 1983.

JOLY, A. B. *Botânica – introdução à taxonomia vegetal*. São Paulo, Companhia Editora Nacional, 1966.

KARÉ-WERNER, M. *L'alimentation vivante: le miracle de la vie*. Genebra, Editions Soleil, 1989.

LAGANÁ, R.E. Desidratação. In: *A criança: perguntas e respostas*. São Paulo, Cultrix/Editora da Universidade de São Paulo, 1971.

LEITE, F. Fitobioquímicos, as novas vedetes da alimentação. *Jornal da Tarde*, São Paulo, 19/10/1998.

LEVI, G. C. Malária, In: *Enciclopédia da criança e do adolescente*. São Paulo, Ibrasa.

LOECKLE, W. E. "O banho genital da mulher". COMTAPS, São Paulo, nº 18, 1994.

"MAITAKE, o rei dos cogumelos – Imunoterapia para prevenção do crescimento tumoral e metástases". Dr. Hiroaki Namba, 1955.

MARCONDES, E. e LIMA, I. N. *Dietas em pediatria clínica*. São Paulo, Sarvier, 1981.

MATTAR, G. Escarlatina. Erisipela. In: *A criança: perguntas e respostas*. São Paulo, Cultrix/Editora da Universidade de São Paulo, 1971.

MEDEIROS NETO, C. "Óleo de peixe, dieta e exercícios contra o colesterol", *Folha de S. Paulo*, 19/4/1988.

Medicina natural. Alimentação. São Paulo, Nova Cultural/Círculo do Livro, 1992.

MELLO, J. F.; GOMES DA SILVA, A. C.; MARQUES, E.; PECORA NETTO, D. A.; FERREIRA, J.; BRUNINI, J. L. e AUN, W. T. Alergia.

A criança: perguntas e respostas. São Paulo, Cultrix/Editora da Universidade de São Paulo, 1971.

MORGAN, R. *Enciclopédia das ervas e plantas medicinais*. 8ª ed. São Paulo, Hemus, 1994.

MURAHOVSCHI, J. "Infarto: um mal que pode ser prevenido". In: *Viver hei*, n. 1, ano 1, São Paulo, CLR Balieiro.

NASCIMENTO FILHO, O. B. Parasitoses intestinais. In: *A criança: perguntas e respostas*. São Paulo, Cultrix/Editora da Universidade de São Paulo, 1971.

NORONHA, I. L. *et al.* "Farelo de arroz no tratamento da hipercalciúria idiopática em portadores de calculose urinária". *Revista Paulista de Medicina*, 107(1): 19-24, 1989.

O mel e a saúde. Lisboa, Presença, 1981.

ODY, P. *The herb society's. Complete medicinal herbal*. Londres, Dorling Kindersley Limited, 1993.

OLIVEIRA, J. L. V. A criança e o dentista. In: *A criança: perguntas e respostas*. São Paulo, Cultrix/Editora da Universidade de São Paulo, 1971.

OLIVEIRA, R. O melhor do mau humor. In: *Planeta Vida*. 14/3/2000.

PANIZZA, S. "Fitoterapia". In: GONSALVES, P. E. *Medicinas alternativas – os tratamentos não convencionais*. São Paulo, Ibrasa, 1989.

PASCHOAL, L. H. C. Problemas de pele. In: *A criança: perguntas e respostas*. São Paulo, Cultrix/Editora da Universidade de São Paulo, 1971.

Plantas que curam (cheiro de mato). São Paulo, Ibrasa, 1998.

POLUNIN, M. *Os minerais e a saúde*. Lisboa, Presença, 1983.

QUARENTEI, G. Constipação intestinal (prisão de ventre). In: *A criança: perguntas e respostas*. São Paulo, Cultrix/Editora da Universidade de São Paulo, 1971.

RAMOS, J. L. A. Icterícias. Hepatites. In: *A criança: perguntas e respostas*. São Paulo, Cultrix/Editora da Universidade de São Paulo, 1971.

RIBEIRO, M. *Maravilhas curativas ao alcance de suas mãos*. São Paulo, Ground, 1985.

RODRIGUES DOS SANTOS, N. Esquistossomose. In: *A criança: perguntas e respostas*. São Paulo, Cultrix/Editora da Universidade de São Paulo, 1971.

ROTMAN, F. *A cura popular pela comida*. 12ª ed. Rio de Janeiro, Record, 1987.

SANTANA, A. F. Doenças do aparelho respiratório. In: *A criança: perguntas e respostas*. São Paulo, Cultrix/Editora da Universidade de São Paulo, 1971.

SANTOS, R. M. M. e LIMA, D. R. "As drogas, o café e os jovens". In: *Pediatria Moderna*, v. XXXIII, nº 9, setembro 1997.

SCHMIDT, B. J. Coqueluche (tosse comprida). In: *A criança: perguntas e respostas*. São Paulo, Cultrix/Editora da Universidade de São Paulo, 1971.

SCOLNIK, R. e SCOLNIK, J. *A mesa do vegetariano*. São Paulo, Pensamento.

SECRETS et vertus des plantes médicinales. *Sélection du Reader's Digest*. 2ª ed. Paris, Bruxelas, Montreal, Zurique, 1977.

SILVA JUNIOR, M. Acidentes por certos animais peçonhentos. In: *A criança: perguntas e respostas*. São Paulo, Cultrix/Editora da Universidade de São Paulo, 1971.

SILVA, S. P. *Frutas-Brasil* (Texto de Hernani Donato). São Paulo, Empresa das Artes e Alternativa Serviços Programados, 1991.

SMITH, H. Macrobiótica. In: GONSALVES, P. E. *Medicina alternativa: os tratamentos não convencionais*. São Paulo, Ibrasa, 1989.

SOARES, C. B. V. *Árvores nativas do Brasil*. Rio de Janeiro, Salamandra, 1990.

SOLEIL. *Graines germés. Jeunes pousses. Une revolution dans l'alimentation*. 4ª ed. Genebra, Editions Soleil, 1989.

TAVARES DE LIMA, M. Tuberculose. In: *A criança: perguntas e respostas*. São Paulo, Cultrix/Editora da Universidade de São Paulo, 1971.

TOMATE PODE REDUZIR RISCOS DE CÂNCER. In: *Jornal da APM (Associação Paulista de Medicina)*, abril 1997.

TOMATE PODE PREVENIR CÂNCER DA PRÓSTATA. *Folha de S. Paulo*, 3/11/1996.

VASCONCELOS, W. Dermatozoíases (Zoodermatoses) In: *Pediatria básica* (coord. Eduardo Marcondes). 7ª ed. São Paulo, Sarvier.

WATT, B. K. e MERRIL, A. L. *Composition of foods*. Washington, United States Department of Agriculture, 1963.

LEIA TAMBÉM

MAUS HÁBITOS ALIMENTARES
Paulo Eiró Gonsalves

Às vezes sabemos que determinada coisa não é muito saudável, mas, na dúvida, continuamos a usá-la. Outras vezes, desconhecemos totalmente a composição do que ingerimos. Este livro vai ajudar a esclarecer todas as dúvidas sobre o teor dos "maus" alimentos, naturais ou manipulados, e será de grande ajuda para quem já percebeu que a boa saúde requer bons hábitos alimentares. REF. 20793.

LIVRO DOS ALIMENTOS
Paulo Eiró Gonsalves

Esta obra, vencedora de um prêmio Jabuti, tem tudo o que pode interessar as pessoas que gostam de cuidar de sua alimentação. Além de analisar os vários nutrientes, passa em revista praticamente todos os alimentos habitualmente consumidos no Brasil, analisando vantagens e desvantagens de cada um. O autor é um respeitado médico, estudioso de nutrição, com vários livros publicados. REF. 50027.

EM BUSCA DO SAMURAI RESPIRAÇÃO TERAPÊUTICA E EQUILÍBRIO EMOCIONAL
Sonia Amaral

Este livro é um lindo encontro com os mestres ancestrais, sua sabedoria, e a nossa moderna tecnologia com sua carga de ansiedade. É um incentivo à harmonia através da simplicidade do respirar, sentir e viver. REF. 20321.

EMAGRECIMENTO NÃO É SÓ DIETA!
Terezinha Belmonte

Este livro nos convida a uma séria reflexão sobre a obesidade, suas causas, seus efeitos, apontando caminhos para soluções e, acima de tudo, desmistificando as propostas mágicas que envolvem as dietas em geral. REF. 20272.

CHI-KUN –
A RESPIRAÇÃO TAOÍSTA
Exercícios para a mente e para o corpo
Sonia Amaral

Este livro visa a junção total da Bioenergética com a vivência do taoísmo, nas suas leis de expansão e recolhimento, inércia e ação. Os exercícios, simples, levam ao autoconhecimento e à autogestão de nosso potencial de equilíbrio, autoconsciência e ritmo respiratório. REF. 10178.

GINÁSTICA HOLÍSTICA
História e desenvolvimento de um método de cuidados corporais
Maria Emília Mendonça

A Ginástica Holística é uma prática de cuidados corporais que atua em três níveis: o pedagógico, o preventivo e o terapêutico, atendendo a múltiplos interesses. Este livro faz uma revisão histórico-crítica desse método de educação corporal que permanece atual e eficiente há quase um século. Demonstra a singularidade e coerência do método e aborda tópicos fundamentais: local das aulas ou sessões, linguagem do orientador, motivação do aluno ou cliente, tempo de atividade e pausas de reflexão, concentração e respiração; enfim, questões básicas que interessam a qualquer profissional que trabalhe com grupos de movimento. REF. 10739.

AQUAGYM
A ginástica na água
Christiane Gourlaouen
e Jean-Louis Rouxel

A ginástica aquática apresenta inúmeros benefícios, sem os inconvenientes de outras modalidades esportivas. Este livro é um guia amplo, contendo numerosas séries de exercícios envolvendo praticamente todas as partes do corpo. São apresentados também exercícios adaptados a situações variadas: mar, lagos, rios, águas profundas etc. REF. 10557.

VÍCIOS
Deirdre Boyd

Os vícios – álcool, drogas, sexo, jogo, alimentos e fanatismos – constituem um dos maiores problemas a enfrentar atualmente no mundo todo. Eles comprometem a vida de pessoas de idades e classes sociais variadas, tanto as adictas quanto seus familiares e companheiros. O guia mostra os últimos estudos sobre as origens dos vícios, suas similaridades e como lidar com cada um deles. REF. 20711.

dobre aqui

ISR 40-2146/83
UP AC CENTRAL
DR/São Paulo

CARTA RESPOSTA
NÃO É NECESSÁRIO SELAR

O selo será pago por

SUMMUS EDITORIAL

05999-999 São Paulo-SP

dobre aqui

recorte aqui

FRUTAS QUE CURAM

CADASTRO PARA MALA-DIRETA

Recorte ou reproduza esta ficha de cadastro, envie completamente preenchida por correio ou fax, e receba informações atualizadas sobre nossos livros.

Nome: ____________ Empresa: ____________
Endereço: ☐ Res. ☐ Coml. ____________ Bairro: ____________
CEP: ______-____ Cidade: ____________ Estado: ____ Tel.: (   ) ____________
Fax: (   ) ____________ E-mail: ____________ Data de nascimento: ____________
Profissão: ____________ Professor? ☐ Sim ☐ Não Disciplina: ____________

1. Você compra livros:

☐ Livrarias ☐ Feiras
☐ Telefone ☐ Correios
☐ Internet ☐ Outros. Especificar: ____________

2. Onde você comprou este livro?

____

3. Você busca informações para adquirir livros:

☐ Jornais ☐ Amigos
☐ Revistas ☐ Internet
☐ Professores ☐ Outros. Especificar: ____________

4. Áreas de interesse:

☐ Psicologia ☐ Corpo/Saúde
☐ Comportamento ☐ Alimentação
☐ Educação ☐ Teatro
☐ Outros. Especificar: ____________

5. Nestas áreas, alguma sugestão para novos títulos?

____

____

6. Gostaria de receber o catálogo da editora? ☐ Sim ☐ Não

Indique um amigo que gostaria de receber a nossa mala-direta

Nome: ____________ Empresa: ____________
Endereço: ☐ Res. ☐ Coml. ____________ Bairro: ____________
CEP: ______-____ Cidade: ____________ Estado: ____ Tel.: (   ) ____________
Fax: (   ) ____________ E-mail: ____________ Data de nascimento: ____________
Profissão: ____________ Professor? ☐ Sim ☐ Não Disciplina: ____________

cole aqui

MG Editores
Rua Itapicuru, 613 Conj. 72 05006-000 São Paulo - SP Brasil Tel.: (11) 3872-3322 Fax: (11) 3872-7476
Internet: http://www.summus.com.br e-mail: summus@summus.com.br